A

MAROO

ARSENIC I FRECWAST?

John Hughes

GOMER

Argraffiad cyntaf—1994

ISBN 1 85902 059 3

Ⓗ John Hughes

Dymuna'r cyhoeddwyr gydnabod cymorth
Adrannau'r Cyngor Llyfrau Cymraeg.

Argraffwyd gan J. D. Lewis a'i Feibion Cyf.,
Gwasg Gomer, Llandysul, Dyfed

I Beti, Linda,
Christopher a Thomas

DIOLCHIADAU

Dymuna'r awdur ddatgan ei ddiolch diffuant i:

Beti, fy mhriod, am ei goddefgarwch di-ben-draw tra bûm yn ymchwilio ledled Cymru a Lerpwl i ffeithiau'r achos a chasglu pentyrrau o bapur i flerychu'r cartre'.

Y Parchedig Harri Parri am luchio'r abwyd i'r dyfroedd ar y cychwyn.

Dyfed Elis-Gruffydd o Wasg Gomer am ei gydweithrediad a'i gynghorion doeth o'r cychwyn cyntaf.

Gwerfyl Pierce Jones, Cyfarwyddwr y Cyngor Llyfrau yn Aberystwyth; hithau'n garedig a pharod ei chymorth.

Yr olaf a fyddant flaenaf: mae fy niolch yn anferth i Robin Williams am ei gampwaith yn cyfieithu, addasu a chwtogi drama real, a gymerodd wythnosau fyrdd i'w pherfformio, rhwng dau glawr llyfr, heb golli gronyn o uchelbwyntiau saga Alicia Millicent Roberts.

CYNNWYS

RHAGAIR

Mae teitl y gyfrol hon, *Arsenic i Frecwast?*, yn awgrymu fod yma stori wahanol iawn ac mae teitlau rhai o'r penodau yn cadarnhau hynny—'Priodas "Jack Fawr" ', 'Chwynladdwr a Llafn Rasel', 'O Strangeways i Flaenau Ffestiniog'. A gwir yr awgrym. Yn ôl yn 1952 roedd pentref tawel Talsarnau ym Meirionnydd yn llygad-dynnu'r byd a gwraig Tŷ'r Ysgol, Alicia Millicent Roberts, yn cael ei chyhuddo o lofruddio'i hail ŵr. Drwy ateb hysbyseb papur newydd y cyfarfu 'Jack Fawr', John Gwilym Roberts, ag 'Alice' o Gaergybi. Ar ddydd eu priodas yn Swyddfa'r Cofrestrydd ym Mlaenau Ffestiniog ychydig a dybiodd y byddai o yn ei arch ymhen y flwyddyn. Ailgodi'r stori honno a wnaeth John Hughes ac ailystyried dyfarniad y Llys. Holi, unwaith eto, oedd yna wenwyn yn yr uwd?

Ac un John Hughes sydd yna: enaid aflonydd, yn troi pob carreg â'i hwyneb i waered i geisio dirnad ystyr a phwrpas bywyd, uwchben ei ddigon yn tynnu blewyn o drwyn y prysur bwysig a'r ceffylau blaen neu yn gwarchod yr un a syrthiodd ymhlith lladron, wrth ei fodd yn adrodd mabinogi, yn seiadu, yn ysgrifennu i'r wasg neu'n taeru ar y radio, ond yn ŵr calon-feddal ryfeddol ac yn un hael iawn, iawn ei gymwynasau—fel y gwn *i* o brofiad. 'John, rhowch gorau iddi, gadwch i bethau fod. 'Newch chi ddim ond tynnu nyth cacwn arall.' Wedi dros ddeugain mlynedd o gyd-fyw hapus mae o'n meddwl y byd yn grwn o Beti, ei wraig, a naw gwaith o bob deg fe wrendy arni!

Roedd yna John Hughes arall, unwaith, cyn iddo ymddeol yn 1969, a'r naill, wrth gwrs, ydi tad y llall. Cofnododd hanes y John Hughes hwnnw yn yr hunangofiant diddorol a gyhoeddodd yn 1979—*O'r Llain i'r Llys*—ac mae honno yn stori ryfedd i'w choelio ac yn un, mae'n debyg, nas gwelir ei thebyg eto. Stori ydi hi am hogyn o berfedd gwlad Ynys Môn a adawodd yr ysgol yn bedair ar ddeg oed, heb lawer o freintiau addysg, ond a lwyddodd drwy ewyllys a dyfalbarhad i addysgu'i hun, gydol ei oes, ac ymddeol yn Dditectif Brif-Uwch-Arolygydd i Heddlu Gwynedd.

Mae'r ddau John Hughes, fel ei gilydd, y tu cefn i'r gyfrol hon. Ar un wedd y ditectif sydd yma yn adrodd y stori'n ofalus, yn datod y dryswch gwlwm wrth gwlwm, yn pwyso a mesur, ond yn adrodd y gwir, yr holl wir a dim ond y gwir. Ond mae'r llenor a'r carwr llenyddiaeth yma yn ogystal, gyda'i dro ymadrodd a'i afael naturiol ar yr iaith. Hyn sy'n peri fod *Arsenic i Frecwast?* yn nofel dditectif afaelgar yn ogystal â stori iasoer.

Harri Parri

Priodas 'Jack Boston'

Roedd rhywbeth yn od yn y stori a gafodd gwŷr y wasg gan Alice. Haerai fod ei chariad newydd o filwr yn lletya gyda'i mam yng Nghaergybi a'i fod yn ddyn hollol ddieithr i'r dref. Ond y ffaith oedd fod y John Hughes hwnnw wedi cael ei eni a'i fagu yng Nghaergybi, ei fod yn byw gyda'i deulu yn Stryd Boston, ac y câi ei adnabod gan y gymdogaeth fel 'Jack Boston'.

Bu Jack yn gweithio yn Adran Forwrol y cwmni llongau lleol, ac wedi cyfnod yn ffosydd Ffrainc adeg y Rhyfel Byd Cyntaf daeth adre'n ôl yn gymharol groeniach ar wahân i ddrwg-effaith anadlu nwy-gwenwyn yr Almaenwyr. Er i hynny fod yn achos brest wan yn ei hanes, ni bu'n gaeth i'w lofft o gwbl, a medrodd ddilyn ei orchwylion ar hyd y blynyddoedd.

Ar 13 Rhagfyr 1923, yn sydyn a dirybudd, priodwyd Alice a Jack yn Eglwys Cybi Sant. Parodd hynny beth gofid i deulu Stryd Boston wrth gofio fel y byddai Alice adeg y rhyfel yn hoedena â'r milwyr yn y dref. Ar ben hynny wedyn, arhosai'r dirgelwch o gwmpas gorffennol ei mam.

Wedi cwrs o symud hwnt ac yma ar hyd y dref, o'r diwedd ymsefydlodd y ddau yn 24 Stryd yr Orsaf ar bwys stablau'r rheilffordd lle cedwid ceffylau rasio ar gyfer eu cludo dros y môr tuag Iwerddon. Ar 12 Ebrill 1924, ganed i Alice ei hunig blentyn, Owen Richard Hughes, a elwid 'Dick', ac a fu'n eithriadol deyrngar i'w fam ar hyd y blynyddoedd.

Er i rai dystio i'r briodas fod yn un eithaf hapus, mynnai teulu Stryd Boston i bethau fod yn stormus weithiau, ac i Jack gael ei droi allan o'i aelwyd ar dri achlysur o leiaf. A phan yrrwyd ef ynglŷn â'i waith am gyfnod i Heysham, digwyddodd ei fam alw yn Stryd yr Orsaf a dod ar warthaf lletywr arall ar yr aelwyd. Eto, teg yw cydnabod i Alice fabwysiadu dwy eneth fach a dyfodd yn ferched gwir ddymunol.

Yn y cyfnod a fu, arfer lled gyson ar lawer aelwyd oedd talu am yswiriant bywyd dros aelodau o'r teulu, ac er i Mrs Hughes, Stryd Boston, ofalu felly am ei thylwyth, am ryw reswm nid oedd wedi cynnwys ei mab, Jack, mewn darbodaeth o'r fath. Yn ystod 1941, o dan berswâd gwerthwr polisïau, ildiodd y fam i yswirio Jack, yntau, ac yn ôl y gofyn, byddai'n rhaid cael tyst-ysgrif yn gwarantu bod cyflwr ei iechyd yn dderbyniol. Meddygon y teulu oedd Dr Edward Richard Hughes, Plas Hyfryd, a Dr Olwen Denton Williams a oedd yn bartner iau iddo. Arwyddodd Dr Hughes y ddogfen yn tystio fod iechyd John Hughes yn gwbl ffafriol ar gyfer yr yswirio.

Diwedd mis Ebrill 1949, digwyddodd Hugh Edward daro ar ei frawd, Jack, yn y dref a'i gael yn bur wanllyd. Eglurodd Jack fod ganddo boenau egr yn ei stumog a'i fod yn cael ei flino gan gyfog a rhyddni pur ddwys. Yn ystod bore'r 6ed o Fehefin, galwodd Alice yng nghartref Hugh i ddweud bod ei frawd yn gwaelu, a phan frysiodd yntau i 24 Stryd yr Orsaf, aeth hi ag ef i'r llofft lle'r oedd y claf yn gwanychu'n ddifrifol. Yn ddiweddarach y dydd hwnnw, bu Jack farw. Nododd ei feddygon teulu'r achos ar ei dystysgrif marwolaeth fel *Natural Causes, viz. Acute Bronchitis and Bronchiectasis.*

Yn ôl dymuniad Alice a'r teulu, trefnodd Hugh Pierce Jones, ymgymerwr o'r dref, i gladdu Jack ym mynwent ddethol Seiriol Sant, Caergybi. Heb fod ymhell yr oedd beddrod Lady Kathleen, y fwynaf, meddir, o linach enwog Stanley o Alderley. Ar ymyl bedd y gwerinwr o Gymro, rhoed astell o bren gwyn, ac arno mewn paent, y geiriau:

IN LOVING MEMORY OF
JOHN HUGHES
24 STATION STREET, HOLYHEAD
DIED JUNE 6TH 1949
AT REST

Pan alwodd yr asiant yswirio heibio i fam Jack ynglŷn â gwaddol y polisi, eglurodd fod Alice wedi cysylltu â phob cwmni yswiriant trwy'r dref yn holi a oedd gan Jack ei hunan, neu unrhyw aelod o'i deulu, waddol ar ei fywyd. Ar wahân i eiddo'i fam, nid oedd bolisi arall yn bod gan neb, ac er i Alice ymliw ynghylch y swm taladwy, glynodd yr hen wraig yn dynn wrth ei hawl a'i heiddo cyfreithlon ei hunan yn y mater hwnnw.

H.M.S. *Tara*

Pwy oedd Alice?

Gwyddeles o waed coch cyfan fyddai'i hateb hi, ac yn blentyn i wraig ucheldras yn Iwerddon. Eto, wrth holi pwy oedd y wraig honno, nid oedd gan neb ateb namyn mân siarad a dyfalu niwlog. Tybiai rhai iddi ddod o deulu Pabyddol cefnog nes i helynt cnawd a byd ei gyrru hi a'i baban i grafu byw o gwmpas Canolfan Genhadol y Morwyr ger dociau Dulyn. Mynnai eraill mai gwraig briod ydoedd na chaniatâi ei chrefydd iddi ryddid ysgariad. Ond po fwyaf yr holi, dwysaf y tewychai'r niwl . . .

Am fod cwr eithaf Ynys Môn yn lled agos at Iwerddon, tyfodd Caergybi yn dref o bwys, ac ar dro'r ganrif datblygodd yn ferw o brysurdeb. Rhwng trafnidiaeth trenau a llongau, roedd cludo cyson ôl a blaen ar deithwyr a nwyddau ac anifeiliaid. Canlyniad ffodus hyn oll oedd bod nifer helaeth iawn o feibion y dref mewn gwaith o gwmpas yr harbwr.

Un o'r rheini oedd Owen Hughes, palff cydnerth a adwaenid fel 'Now Fawr', yn gweithio ar long y Post Brenhinol, *Hibernia*. Fel un a faged yn nhraddodiad y capel, byddai Now yn treulio'i oriau hamdden yn Nulyn yng Nghanolfan Genhadol y Morwyr nes dôi'r amser i'w long ailforio am Ynys Môn.

Yn y Ganolfan honno y cyfarfu Owen Hughes â mam Alice. Tyfodd cyfeillgarwch rhyngddynt, ac un diwrnod daeth Owen â hi a'i phlentyn bach gydag ef dros y dŵr i dref Caergybi. Ymhen sbel ymbriododd â'r fam honno, bedyddiwyd y plentyn wrth yr enw Alicia Millicent, ac aeth y teulu i fyw yn 17 Queen's Park. Cyn bo hir, roedd y cwpwl wedi mabwysiadu baban i fod yn gwmni i'r eneth fach.

Pedair ar ddeg oed oedd Alice pan dorrodd y Rhyfel Mawr ar Ewrop yn 1914. Fel llawer man arall ar adeg rhyfel, cafodd Caergybi ei gweddnewid mewn undydd unnos. Effeithiwyd fwyfwy ar y dref-borthladd, nid yn unig am fod rhyfela ar gyfandir Ewrop ond hefyd am fod helynt enbyd y *Troubles* yn rhwygo Iwerddon. Codwyd gwersylloedd ar gyrion Caergybi gyda milwyr yn mynd a dod wrth y cannoedd i'r Ynys Werdd.

Fel y gellid disgwyl, byddai llanciau'r *khaki* yn gwagsymera hyd strydoedd nos y dref, a'r genethod ifainc yn ymuno â'r hwyl, gydag Alice yn eu plith.

Ond fe gyrhaeddodd y rhyfel hefyd i aelwyd 17 Queen's Park. Ar orchymyn y Morlys roedd yr *R.M.S. Hibernia* i'w meddiannu gan yr awdurdodau a'i throi yn llong ryfel ar gyfer y Llynges. Wedi'i harfogi felly, hwyliodd i'r Môr Canoldir o dan enw newydd, sef *H.M.S. Tara*. Ac ar ei bwrdd yr oedd yr *Able Seaman* Owen Hughes.

Fel y llusgai'r misoedd rhagddynt, un dydd daeth newydd ysgytiol i sobri tref Caergybi. Roedd torpedo wedi suddo *H.M.S. Tara*, a'r holl ddwylo ar ei bwrdd wedi mynd i lawr i'w chanlyn. Cerddodd y galar i ddwsinau o gartrefi, gyda gweddw Owen Hughes mewn torcalon o golli'i phriod, a'i phryder ariannol yn ddwys ynghylch magu'r ddwy eneth fach.

Gydag amser yn graddol bylu'r loes, digwyddodd y weddw daro ar lanc o filwr a aeth â'i bryd yn llwyr. Mor llwyr, yn wir, nes iddi benderfynu ei briodi rhag blaen. Yn ôl patrwm byrbwyll cyfnod rhyfel—carwriaeth frysiog a phriodi sydyn—pennwyd y dyddiad a gwnaed y trefniadau ar fyrder. Ond o fewn ychydig oriau i'r briodas, wele newydd ysgytiol arall yn taro aelwyd 17 Queen's Park: roedd nifer bychan o griw *H.M.S. Tara* eto'n fyw.

Ymddengys fod dyrnaid o'r morwyr wedi medru nofio oddi wrth y llong ddrylliedig a llwyddo i gyrraedd glan ar draeth unig wrth arfordir Libya. Cawsant ymgeledd gan lwyth nomad o Arabiaid, a'u helpu i gysylltu â'r byd y tu hwnt i'r anialwch. Er i rai wythnosau fynd heibio cyn i'r hanes gyrraedd yr awdurdodau, pan ddaeth y newydd yn swyddogol o'r diwedd, roedd enw Owen Hughes ar restr y rhai a arbedwyd.

Bu'n rhaid dileu trefniant y priodi yn y fan a'r lle, a phan gyrhaeddodd Owen Hughes maes o law i 17 Queen's Park, aeth popeth ymlaen fel pe na bai dim allan o'r cyffredin wedi digwydd erioed.

Yn y cyfamser, roedd Alice yn blodeuo'n ferch ifanc hardd a bywiog. Gyda'r blynyddoedd, fodd bynnag, bu gwraig Owen Hughes farw, ac o dipyn i beth pan glafychodd yntau, cafodd gysgod yng nghartref Alice. Ychydig cyn ei farw dywedodd wrth gyfaill o ymwelydd ei fod mewn artaith uffern gan boen stumog ac yn cael ei lethu gan gyfog a rhyddni. Er iddo fod yn orweddog am beth amser, mae'n rhaid cydnabod i Alice weini'n dra gofalus arno hyd y diwedd eithaf.

Ymhen blynyddoedd lawer ar ôl hynny, pan gyhoeddwyd stori bywyd Alice mewn papur Sul ym mis Awst 1952, dywedwyd iddi fod mewn cariad dwys yng Nghaergybi â milwr ifanc o'r enw Emrys Williams ac iddyn nhw fod wedi pennu dyddiad priodi ar gyfer Awst 1918. Ddeng niwrnod cyn y briodas, bu Emrys farw'n sydyn, er ei fod yn ymddangosiadol mewn llawn iechyd.

'Cafodd gynhebrwng milwrol,' meddai Alice. 'A'r seindorf oedd i fod i lonni'n huniad ni, bellach yn seinio'r Orymdaith Angladd gan Chopin, ac aeth fy ngwisg briodas innau'n amdo i Emrys Williams. Bûm yn galaru ar ei ôl am bedair blynedd. Ond yna dychwelodd llawenydd i'm bywyd unwaith eto pan gyfarfûm â John Hughes. Milwr oedd yntau hefyd, a bu'n lletya ar dro yn ystod y rhyfel ar aelwyd fy mam. Pan ddaeth adref o'r Fyddin, byddai'n cael poen ddirdynnol yn ei frest o ganlyniad i ymosodiad y nwy-gwenwyn ar faes y frwydr.'

3

Priodas 'Jack Fawr'

Tra oedd teulu Stryd Boston yn dal i chwitho am John Hughes, syndod o'r mwyaf fu darllen hysbysiad yn y wasg leol fod Alice yn awyddus am gymar unwaith yn rhagor.

Mewn ateb i'r cais yn y papur newydd, croesodd un gŵr o Iwerddon i'w gweld, ond siwrnai ofer fu honno. Am un arall â'i hatebodd, teithiodd Alice gryn hanner can milltir i gwrdd â'r ymgeisydd hwnnw. Y man cyfarfod oedd gorsaf bellennig Afon Wen ar bwys gwersyll gwyliau Butlin yn Sir Gaernarfon. Roedd hi'n bnawn stormus ac oer, ac ymddengys mai felly hefyd y bu'r drafodaeth rhwng y ddau, gyda'r naill fel y llall yn dychwelyd yn waglaw i'w cartrefi.

Pan fethodd ei hymdrech yn y wasg leol â dwyn ffrwyth, penderfynodd Alice hysbysebu o'r newydd, y tro hwn mewn papur a fyddai'n cyrraedd ardaloedd yng nghylch Meirionnydd. Cafodd ateb buan o'r union sir honno gan John Gwilym Roberts, gŵr gweddw gyda phump o blant, yn byw yn Hen Dŷ'r Ysgol, Talsarnau, pentref tawel rhwng Penrhyndeudraeth a Harlech. Fe'i gwahoddwyd i gartref Alice yng Nghaergybi i drafod y posibiliadau, ac yn ôl pob golwg roedd John Roberts, gŵr diddrwg a hygoelus, wedi gwirioni ar ei ddarpar bartneres newydd.

Yn y flwyddyn 1908 y ganed ef, ac wedi gorffen ei ysgol bu'n llafurio yn y chwareli ym Mlaenau Ffestiniog gyfagos. Am ei fod yn ddyn tal a chadarn o gorff, byddai'n cael ei adnabod wrth yr enw 'Jack Fawr', yr un fath â'i dad o'i flaen, meddir. Am y rhan fwyaf o'i oes, bu'n gweithio fel labrwr, ond yn y cyfnod olaf cafodd waith gyda chwmni oedd yn gwarchod ffyrdd tarmac gwersyll y Fyddin ym Morfa, Tywyn, yng ngwaelod Sir Feirionnydd.

Ar un adeg byddai'r prifathro yn arfer byw yn nhŷ'r ysgol leol, gan gymryd rhan amlwg ym mywyd cymdeithasol y fro.

Ond yn raddol, peidiodd yr arfer hwnnw â bod, gyda'r athro bellach yn dewis byw yn ei dŷ ei hunan, efallai filltiroedd i ffwrdd o'r ysgol. Pan ddaeth tro felly ar fyd yn Nhalsarnau, penderfynodd yr Awdurdod Addysg osod Hen Dŷ'r Ysgol i ofalwr a fyddai'n gyson wrth law ar gyfer pob galw. A dyna sut y cafodd Jack Fawr y denantiaeth. Yn ystod y dydd, byddai ei wraig, Florence, yn gofalu am agor a chau'r adeiladau, a phan ddôi Jack o'i waith yn yr hwyr, âi ef a'i briod ati i lanhau'r ysgol, ac ar ddiwedd wythnos gofalent fod yr iard chwarae a'r cwmpasoedd yn daclus mewn trefn.

Yng nghefn tŷ'r ysgol (ar ochr Harlech, fel petai) yr oedd gardd fechan. Ond am nad oedd gan y gofalwr na'i wraig ddiddordeb ynddi, gadawsant i'r clwt hwnnw o dir fagu chwyn. Y tu ôl i'r wal gerrig yn amgylchu'r tŷ a'r ysgol, codai llethr serth a elwid 'Y Gelli', gallt o fangoed a llwyni lle'r oedd natur yn tyfu'n wyllt.

Er nad oedd llawer o'r cyfleusterau modern ar gael yn Hen Dŷ'r Ysgol, na'r cyflog yn fawr i fagu pum plentyn a'u hoedran rhwng ugain oed ac wythmlwydd, eto roedd Florence yn wraig a mam ddarbodus. Roedd iechyd ei phlant yn fwrlwm, eu dillad yn ddestlus a'r aelwyd o saith yn llwyddo i fyw yn hapus ddigon.

Yna, heb rybudd o unrhyw fath, trawyd Florence yn wael gan waedlif ar yr ymennydd, ac ar y 7fed o Fai 1945, bu farw a hithau'n ddim ond deugain oed. Pan gollwyd llyw yr aelwyd mor frawychus o sydyn, roedd John Roberts a'i deulu ar drugaredd y dyfroedd mawr a'r tonnau. Ond gyda hyder cwbl ryfeddol, cydiodd Doreen, y ferch hynaf, yn yr helm, ac i bob pwrpas cymerodd le ei mam trwy ofalu am ei thad, ei brodyr a'i chwiorydd ifainc gan warchod yr aelwyd yn gyffredinol. Bu ymroddiad anhygoel yr eneth yn destun edmygedd ei chymdogion yn y pentref.

Arhosodd y ferch i weini felly gartref nes i'w thad briodi Alice ar y 3ydd o Fawrth 1951 yn Swyddfa'r Cofrestrydd ym Mlaenau Ffestiniog. Wedi'r briodas, roedd teulu tra helaeth yn byw yn Hen Dŷ'r Ysgol gan gynnwys Alice, ei mab, Dick, a'i dwy eneth fabwysiedig heb sôn am Jack a'i bum plentyn yntau.

8

Yr adeg honno, sut bynnag, gadawodd Doreen ei chartref i weithio am sbel ym Mlaenau Ffestiniog, ac yna yn Harlech, cyn cael lle fel clerc mewn ffatri yn ninas Birmingham. Yn fuan wedyn, o fod yn ddi-waith, mentrodd ei thad, yntau, i'r ddinas honno gan roi cynnig ar lafurio fel garddwr a dyn mân-orchwylion. Ond o hiraethu'n ddi-baid am bentre'i febyd, daeth yn ôl i Dalsarnau a chael ei gyflogi yng ngwersyll milwyr y Morfa gerllaw Tywyn. Byddai'n dal trên cynnar y Cambrian toc wedi chwech o'r gloch y bore er mwyn cyrraedd at ei waith yn tario ffyrdd y gwersyll. Fel y digwyddodd pethau, arferai ei lysfab, Dick, ddal yr un trên yn union ar gyfer bod yn Nolgellau ynglŷn â'i grefft fel plymwr a ffiter nwy.

Fodd bynnag, roedd bargen y briodas newydd yn graddol fagu problemau. Ar un llaw, am fod Alice yn mynnu bod cyflwr y tŷ yn aflêr, aeth ati i'w lanhau o'r llofft i'r llawr, papuro'r gegin, a hongian y llenni oedd ganddi gynt yng Nghaergybi ar ffenestri'r ystafelloedd. Ond ar y llaw arall, pan ddaeth Doreen am egwyl i'w chartref dros y Nadolig, roedd hithau hefyd yn mynnu bod y lle yn ddi-raen; yn gymaint felly nes iddi awgrymu y byddai'n gadael Birmingham a dod yn ôl i Dalsarnau'n unswydd i warchod ei thad a'i pherthnasau. Ond ar wahân i beth croesdynnu, ni ddaeth dim o'r bwriad hwnnw.

Pan ddaeth yn amser i Doreen ddychwelyd i Loegr wedi gwyliau'r Nadolig hwnnw, aeth ei thad i'w hebrwng tua'r orsaf gyfagos. A dyna'r pryd y sylwodd y ferch fod ei thad mor fyr ei anadl nes cael trafferth i gyd-gerdded â hi. Er ei fod yn gawr o ddyn iach yn ôl pob golwg, eto roedd John Roberts yn tueddu i fod yn lled faldodus o'i iechyd, a bu adegau y byddai'n galw'n weddol gyson ym meddygfa Dr Hogg ym Mhenrhyndeudraeth, gwta dair milltir o'i gartref.

Yn wir, bu Alice, hithau, fwy nag unwaith yn y Penrhyn yn holi'r meddyg am gyflwr ei gŵr. O ran hynny, haerai bod ei phryder amdano'n effeithio'n ddrwg ar ei nerfau hi. Ar un achlysur pan alwyd Dr Hogg ar frys i Dalsarnau, roedd Alice yn gorwedd yn sypyn ar soffa ac o'i harchwilio eglurodd y meddyg mai achos pennaf ei cham-hwyl hi oedd histeria.

4

Post Mortem

Roedd hi'n fore cynnar, cynnar, a threflan Penrhyndeudraeth eto'n dywyll heb un enaid byw ar ei strydoedd. Ond yr oedd Dr Hogg wrthi'n ymwisgo ar frys, a chyn chwech o'r gloch roedd yn moduro'n gyflym trwy'r tywyllwch dros Bont y Briwet cyn troi ar y dde i gyfeiriad Talsarnau. Wrth yrru felly, meddyliai am y diwrnod cynt pan oedd Alice wedi teleffonio i ddweud fod ei gŵr yn cael ei boeni gan gyfog chwyrn. Am nad oedd cais pendant ganddi ar iddo ddod heibio, trefnodd yn ddiweddarach yn y dydd i Dick, mab Alice, alw yn y Penrhyn am foddion ar gyfer y claf, ac addawodd yntau'r meddyg y deuai heibio i'w weld drannoeth.

Bellach, cyn plygain y trannoeth hwnnw roedd Dr Hogg wedi cael ei ddeffro am bump o'r gloch gan y teleffon gyda chais iddo ddod draw i Dalsarnau. A chyn pen chwarter awr cafodd alwad arall eto fyth, yn pwyso arno i gychwyn yn ddiymdroi. Dyna'r bore y teimlodd y meddyg fod rhywbeth anarferol iawn ar gerdded. Wedi cyrraedd y pentref cysglyd a sylwi fod golau yn llond ffenestri Hen Dŷ'r Ysgol, cydiodd yn ei fag lledr a brasgamu o'r car tua'r tŷ.

Aed ag ef yn syth i'r llofft, ac yno er syndod iddo, canfu fod John Gwilym Roberts wedi marw. (Dyddiad y bore Iau tyngedfennol hwnnw oedd y 6ed o Fawrth 1952.) Ar ôl mesur tymheredd y corff, gan ystyried ffactorau fel gwres y dillad gwely yn ogystal ag awyr y llofft, barnodd Dr Hogg fod marwolaeth John Roberts wedi digwydd yng nghwrs yr awr flaenorol.

Ond yr oedd y meddyg yn anesmwyth. Ni allai gysoni sut yr oedd gŵr cydnerth, iach, bellach yn gorff marw o'i flaen. Wedi pendroni am ysbaid, eglurodd wrth Alice na fedrai yn hawdd arwyddo tystysgrif marwolaeth, ac mai'r peth diogelaf i bawb o'r ddeutu fyddai trefnu archwiliad *post mortem* rhag blaen.

Yn nieithrwch rhyfedd y llofft, cytunodd Alice â'r awgrym.

10

Ond yn nes ymlaen, fel yr oedd y meddyg yn ymadael ar ôl yfed cwpanaid o de, roedd wedi newid ei meddwl. Esboniodd wrth Dr Hogg nad oedd hi'n hoffi'r syniad o driniaeth *post mortem* yn ymyrryd â chorff ei gŵr ac y byddai'n ddewisach ganddi adael iddo gael ei gladdu mewn heddwch. Ond oherwydd gofynion llym ei broffesiwn, mynegodd y meddyg nad oedd ganddo ef ddewis arall, ysywaeth.

Aeth Dr Hogg ati ar unwaith i hysbysu Crwner y Sir ym Mlaenau Ffestiniog am farw rhyfedd John Gwilym Roberts, Hen Dŷ'r Ysgol, Talsarnau. Wedi i'r Crwner, Mr Harri Evans Jones, a oedd hefyd yn gyfreithiwr abl, egluro'r sefyllfa i'r Arolygydd Lewis Jones yn y Blaenau, rhoes yntau y Rhingyll Thomas Davies ym Mhenrhyndeudraeth ar waith heb oedi.

Ar ôl cyrraedd Talsarnau a gwneud yn siŵr nad oedd anaf allanol ar y corff, bu'r Rhingyll Davies yn holi peth ar Alice, ei mab Dick, a hefyd Doreen a oedd wedi brysio adref o Birmingham ar ôl clywed am waeledd ei thad. Yna, trefnodd y Rhingyll fod yn bersonol gyfrifol am weld cludo'r corff i ysbyty Môn ac Arfon ym Mangor lle byddai Dr E. Gerald Evans yn gweinyddu gyda'r archwiliad *post mortem*. Ef oedd patholegydd Awdurdod Iechyd y Cylch ac fe'i hystyrid yn dditectif meddygol o'r radd flaenaf.

Ni chanfu'r patholegydd ddim a fyddai'n achos marwolaeth i John Roberts yn yr ymennydd na'r galon na'r system anadlu. Fodd bynnag, roedd ganddo amheuaeth ynglŷn ag arwyddion llid ar gnodwe'r llwnc; felly hefyd ar ddefnydd tyner y stumog a'r coluddion. O'r herwydd, aeth ati i botelu toriadau o'r corff a'u hanfon i'r Labordy Fforensig yn Preston at y Dr J.B. Firth, Cyfarwyddwr y Swyddfa Gartref.

Pan ddoed â gweddillion Jac Fawr yn ôl i Hen Dŷ'r Ysgol, aeth y teulu i gyswllt â'r ymgymerwr angladdau ar gyfer ei gladdu gyda'i wraig gyntaf, Florence, ym mynwent Soar, capel Wesleaid y pentref. Ond cyn hynny, byddai gofyn i'r Crwner drefnu trengholiad i sicrhau'r 'Ffurflen Binc' oedd yn llwyr angenrheidiol cyn y gellid cynnal cynhebrwng. Y ddau ofyn ynglŷn â hynny oedd: (a) bod y corff wedi cael ei adnabod, (b) bod achos y farwolaeth wedi'i gadarnhau.

11

Er bod achos y farwolaeth i'w gyhoeddi mor fuan ag y byddai modd, am nad oedd oergell ar gael ym Mangor i gadw corff mor hir â hynny, cafodd y teulu ganiatâd i gladdu John Gwilym Roberts ym mynwent Soar ar y 10fed o Fawrth.

Yn fuan wedi'r angladd, derbyniodd y Crwner a'r Prif Gwnstabl William Jones-Williams adroddiad oddi wrth Dr J.B. Firth o Labordy Fforensig Preston fod y samplau a dynnwyd o'r corff (yn fymrynnau o wallt, ewinedd, iau, elwlod, ymennydd, peth o'r stumog a'r coluddion) yn cynnwys 1.921 o ronynnau o arsenic. Ychwanegwyd y byddai'r swm, pe mesurid y cyfan o'r organau hynny, yn 2.05 o ronynnau arsenic.

Erbyn hynny, ysywaeth, roedd Jac Fawr yn ei fedd ym mynwent Soar.

5

Chwynladdwr a Llafn Rasel

Trannoeth yr angladd, aeth Alice am Benrhyndeudraeth i weld Dr Hogg. Yn emosiynol, roedd ar fin chwalu, ac eglurodd wrth y meddyg y byddai'n bendant yn cymryd ei heinioes ei hun oni wnâi ef rywbeth iddi ar fyrder.

Ar ôl siarad â hi mor bwyllog ag oedd modd, awgrymodd Dr Hogg i Alice y dylai gael triniaeth mewn Ysbyty Meddwl. Cytunodd hithau'n frwd yr âi yn wirfoddol i ganolfan o'r fath. Cyn pen dim, roedd y meddyg wedi trefnu bod gwely ar ei chyfer mewn uned trin nerfau yn nhref Dinbych. Ond cyn llogi cerbyd i'w chyrchu tuag yno, barnodd Dr Hogg y byddai'n well iddo hysbysu'r Rhingyll Davies yn yr orsaf gyfagos o'r datblygiad diweddaraf hwn. Mewn ateb i hynny cafodd orchymyn i gadw'r claf yn ei feddygfa nes y dôi'r awdurdodau draw ati.

Y ffaith oedd fod y Rhingyll mewn dilema. Gwyddai fod hanes ar gerdded fod John Gwilym Roberts wedi dioddef poenau stumog, syched, cyfog a rhyddni a oedd yn arwyddion nodweddiadol o effaith y gwenwyn arsenic. Gwyddai hefyd fod ditectif wedi deall i Alice brynu chwynladdwr yn cynnwys arsenic mewn mwy nag un fferyllfa yn y fro. Ond hyd y foment honno, gwaetha'r modd, nid oedd yr adroddiad o Labordy Fforensig Preston wedi'i gyhoeddi'n swyddogol i neb.

Yn ei gyfyng-gyngor, ymgysylltodd y Rhingyll Davies â phencadlys yr heddlu yng Nghaernarfon, ac yno trefnwyd i'r Ditectif-Arolygydd Llewelyn Roberts o'r C.I.D. foduro tua Phenrhyndeudraeth heb oedi dim. Gofynnodd y Rhingyll hefyd i'r Arolygydd Lewis Jones ddod i lawr o Flaenau Ffestiniog i'w gynorthwyo.

Pan aeth y swyddogion hynny ag Alice o'r feddygfa, ni wyddai hi mwy na Dr Hogg mai'r bwriad oedd ei holi ynglŷn â marwolaeth ei gŵr. Felly, yn nes ymlaen y noson honno, fe'i cafodd Alice ei hunan yn Swyddfa'r Heddlu yn y Penrhyn

13

gyda'r Ditectif-Arolygydd Llewelyn Roberts yn ei chroesholi a'r Arolygydd Lewis Jones yn gwrando ar y cyfan fel tyst. Mewn ystafell arall yr oedd Dick yng nghwmni'r Rhingyll a'r cwnstabl lleol.

Yn ystod tri chwarter awr o holi ac ateb, roedd Alice wedi taeru ei bod yn gwbl ddiniwed yn yr holl achos, wedi cyfaddef iddi brynu chwynladdwr yn cynnwys arsenic, ac wedi cyfeirio'n benodol at Doreen fel achos peth anghydfod yn y cartref yn Nhalsarnau.

Yn sydyn, wrth i'r cwestiynu ddwysáu, gofynnodd Alice am ganiatâd i fynd i'r toiled. (Yn anffodus, nid oedd heddferch ar gael mewn lle bychan fel y Penrhyn o'i gymharu, dyweder, â swyddfa heddlu mewn tref fawr neu ddinas boblog.) Felly, o dan yr amgylchiadau, ac yn enw gweddustra, ni ellid ond caniatáu i'r wraig ei chais a rhoi rhyddid y toiled iddi.

Am fod yr aros amdani yn ôl yn annerbyniol o faith, gofynnwyd i'w mab fynd i weld a oedd hi'n iawn. Wedi agor y drws, sylwodd Dick fod ei fam yn siglo uwchben ei thraed a gwaed yn llifo o'i garddwrn ac o archoll ddofn ar draws ei gwddf. O glywed Dick yn galw, brysiwyd i'w helpu i symud ei fam oddi yno. Arhosodd un swyddog i archwilio'r toiled, a chanfu ar y llawr lafn rasel disglair ac, yn ymyl, y pecyn papur a fu amdano. (Yn ddiweddarach, sylwyd bod rhwyg fechan yn leinin côt Alice. Roedd yn amlwg ei bod wedi trefnu rhag llaw i guddio'r llafn rasel yn y rhan honno o'i gwisg, ac os âi pethau'n ddrwg arni, gallai hithau ddefnyddio'r llafn fel ffordd ymwared o'i chyfyngder.)

Cyn pen dim yr oedd tri meddyg lleol wedi cyrraedd i ymgeleddu Alice, ac wedi rhwymo'i harchollion trefnwyd i'w chludo ddeng milltir ar hugain i ffwrdd i Ysbyty Môn ac Arfon yn ninas Bangor. Bu yno am dair wythnos gyda phlismones yn ei gwarchod gydol yr amser.

Tra bu Alice yn yr ysbyty, cafodd y Ditectif-Arolygydd ganlyniad swyddogol y profion o'r Labordy Fforensig. Y casgliad oedd i John Gwilym Roberts farw o ganlyniad i'w wenwyno gan arsenic. O hynny ymlaen, aed ati i holi siopau fferyllwyr yn yr ardaloedd cyfagos, gyda gwyddonwyr fforensig ac arbenigwyr

14

garddwrol yn cribo trwy'r chwyn yng ngardd Hen Dŷ'r Ysgol gan botelu samplau o'r pridd ar gyfer dadansoddi.

Gydol y dyddiau dilynol, roedd gweision yr heddlu'n crwydro'r ardal yn cywain gwybodaeth a thystiolaeth fesul darn ac o dipyn i beth, yn holi hwn ac arall, yn tynnu lluniau a sgrifennu nodiadau. Afraid ychwanegu fod gweithwyr y wasg, hwythau, yr un mor ddiwyd yn gweithio ar y stori oedd wedi dwyn pentref di-nod Talsarnau i'r ffasiwn amlygrwydd.

Erbyn diwedd Mawrth, roedd Alice wedi gwella o'i chlwyfau, a'r meddygon yn gwbl fodlon iddi adael y ward. Felly, oddeutu deg o'r gloch fore Mercher, Ebrill yr 2il, cerddodd y Ditectif-Arolygydd Llewelyn Roberts i Ysbyty Môn ac Arfon i egluro wrth Alice ei fod yn ei chymryd i'r ddalfa ar y cyhuddiad iddi geisio cyflawni hunanladdiad yng Ngorsaf yr Heddlu ym Mhenrhyndeudraeth ar Fawrth yr 11eg.

Cyn pen awr arall, gyda heddferch yn ei gwarchod, aed ag Alice i Orsaf yr Heddlu ym Mangor lle cafodd ei chroesholi gan yr Arolygydd. Mewn datganiad maith ynglŷn â'r brofedigaeth dywyll yn Hen Dŷ'r Ysgol, mynegodd Alice nad oedd mewn unrhyw fodd yn gyfrifol am farwolaeth ei gŵr. Ar ôl hynny, aeth y swyddog ag Alice, ynghyd â'i hebryngydd, o Fangor i Orsaf yr Heddlu ym Mhenrhyndeudraeth. Y min hwyr hwnnw, cyhuddwyd Alicia Millicent Roberts o fod wedi achosi marwolaeth ei gŵr, John Gwilym Roberts, ar y 6ed o Fawrth 1952.

Ond yr oedd yn aros un gorchwyl arall i'w gyflawni. A'i gyflawni'n ddi-oed y noson honno. Yn ystod y dyddiau a basiodd, wrth i'r heddlu gasglu sawl tystiolaeth fod y gyhuddiedig wedi bod yn prynu (ac archebu) chwynladdwr yn yr ardal, cawsant ddatganiadau gan bobl nad oeddent yn gydnabyddus iawn â'r wraig o Dalsarnau. Er mwyn iddi gael ei phrofi mewn llys barn, roedd yn bwysig i'r personau hyn gael cyfle i fedru pwyntio ati o blith rheng o ferched eraill a'i hadnabod fel yr un a fu wrth eu cownteri hwy yn prynu chwynladdwr neu ynteu'n holi am y cyfryw.

Am fod Alice bellach yn ôl gyda'r heddlu yn nhreflan Penrhyndeudraeth, a bod y tystion oll o'r cylch hwnnw, trefnwyd yn y fan a'r lle i gasglu nifer o wragedd ar hyd y fro a fyddai â thebygrwydd ynddyn nhw i Alice, gan gyfateb iddi mewn oedran, taldra, lliw gwallt, maint corff a gwisg.

Eto, mynnai'r gyfraith osod un amod arall: ni châi unrhyw swyddog a fu'n ymholi i'w hachos arwain ym mater y rheng-adnabod na chymryd unrhyw ran yn y gweithrediadau. Dyna pam yr apwyntiodd y Prif Gwnstabl Jones-Williams ef ei hun i gyfarwyddo'r dasg honno—apwyntiad, meddir, a oedd yn un pur anarferol i swyddog o safle uchel felly. Boed a fo am hynny, ni chaed unrhyw drafferth am i'r naill dyst ar ôl y llall, wrth graffu ar y rhes ferched, bwyntio'n ddi-feth at Alice fel y wraig oedd wedi prynu chwynladdwr mewn dwy fferyllfa ac wedi archebu chwynladdwr mewn un arall.

Ac felly, ar derfyn diwrnod maith a chythryblus yn ei hanes, y cafodd Alice o'r diwedd fynd i orffwys nos yn ei chell yng Ngorsaf yr Heddlu ym Mhenrhyndeudraeth. Fe'i cadwyd yno am y byddai ar y dydd dilynol o flaen ei gwell yn yr un un dreflan.

6

Ailgodi Dwy Arch

Bore trannoeth, roedd yr ynadon lleol wedi ymgynnull yn yr ystafell fach henffasiwn lle cynhelid y llys barn. Y sawl a gyflwynai'r achos gerbron yr ustusiaid oedd y Prif Gwnstabl ei hun. Roedd hynny yn beth pur anarferol, ond y dyfaliad oedd fod y pennaeth yn cymryd yr awenau i'w ddwylo'i hun rhag ofn i aflerwch ddigwydd petai swyddog o radd is yn arwain y gweithrediadau.

Galwyd ar y Ditectif-Arolygydd Llewelyn Roberts i dystio ar lw am ei ymchwiliadau hyd hynny. Dywedodd iddo fynd i Ysbyty Môn ac Arfon ym Mangor ar Ebrill yr 2il, ac yno am 10.15 y bore cyhuddodd Alicia Millicent Roberts o geisio cyflawni hunanladdiad trwy dorri'i gwddf â rasel, ac iddi hithau ddweud: 'Fy mai i oedd o. Do, mi wnes.' Yn ddiweddarach yr un diwrnod aed â Mrs Roberts i Orsaf yr Heddlu ym Mhenrhyndeudraeth a thystiodd y ditectif iddo yno, am 8.30 yr hwyr, gyhuddo'r un person o lofruddio'i gŵr, ac ar ôl ei rhybuddio yn ôl gofynion y gyfraith atebodd hithau: 'Ddweda i ddim byd.'

Er mwyn cael amser i osod yr holl adroddiadau mewn trefn ar gyfer y Cyfarwyddwr Erlyniadau Cyhoeddus, gofynnodd y Prif Gwnstabl i'r llys gadw'r gyhuddiedig yn y ddalfa am wyth niwrnod, sef hyd eithaf y cyfnod a ganiatâi'r gyfraith mewn amgylchiad o'r fath. Cytunwyd ar hynny yn y llys mewn eisteddiad a barhaodd gwta ddeng munud, a threfnwyd i'r heddlu fynd â Mrs Roberts i garchar Strangeways yn ninas Manceinion dros y cyfnod penodedig.

*   *   *

Roedd Prif Gwnstabl Gwynedd yn cael ei ystyried yn berffeithydd wrth ymwneud â'i dasgau. O'r herwydd, ynglŷn ag achos Alice, mynnai fod ffeil yr adroddiadau a baratoid yn gywir ac yn gyflawn heb un gwall teipio ar eu cyfyl. Dewisodd albwm arbennig i gynnwys casgliad o ffotograffau, gyda'r cyfan oll

17

wedi eu rhifo a'u nodi'n fanwl mewn trefn. Rhestrodd yn ofalus bob un o'r eitemau a gasglwyd ar gyfer eu harddangos mewn llys maes o law.

Wedi llafurio'n ddiwyd ar gasglu'r ffeithiau, anfonwyd yr adroddiad mewn llawn hyder yn becyn destlus at awdurdodau'r Goron yn Buckingham Gate, Llundain. Pan dderbyniwyd y cynnwys gan swyddfa'r Cyfarwyddwr Erlyniadau Cyhoeddus, cafodd ei archwilio'n drylwyr gan Mr F. Donald Barry oedd yn arbenigo ym materion y gyfraith ynglŷn â llofruddiaeth honedig.

Er mawr syndod, daeth gair i ddweud bod gwendid hanfodol ac amlwg yng nghynnwys dogfennau Heddlu Gwynedd.

O'r cychwyn cyntaf, roedd fel petai rhyw dynged am fynnu cymhlethu'r helyntion ynghylch Hen Dŷ'r Ysgol yn Nhalsarnau. Trwy anffawd neu flerwch, nid oedd plismones ar gael i fod gydag Alice pan aeth i'r toiled hwnnw yng Ngorsaf yr Heddlu ym Mhenrhyndeudraeth, a rhoes hynny gyfle iddi raselu'i gwddf ei hunan.

Dro arall, yng Ngorsaf yr Heddlu ym Mangor, pan gyhudd-odd y Ditectif-Arolygydd hi o geisio cyflawni hunanladdiad, cododd peth amheuaeth a oedd Alice wedi cael ei rhybuddio ymlaen llaw ai peidio.

Erbyn hyn, i gymhlethu pethau fwyfwy, roedd yn ymddangos fod diffyg gwaelodol yn yr adroddiad a baratowyd mor fanwl o dan ofal Prif Gwnstabl Gwynedd. Mynnai Mr F. Donald Barry nad oedd y dystiolaeth yn ddigonol. Carn ei ddadl ef oedd ei bod yn ymddangos na fedrai neb dystio i *union* fesur yr arsenic yng nghorff John Roberts adeg ei farw. Am samplau tenau'r cnodwe a dynnwyd allan o'r corff, medrodd y Labordy Fforensig fesur yn burion swm yr arsenic yn y rheini. Ond am y cynnwys yn y corff yn gyflawn, dim ond dyfalu'n unig a wnaeth y gwyddon-wyr. Ac nid oedd dyfalu felly yn ddigonol o gwbl, yn enwedig ar gyfer cyhuddiad mor ddifrifol â bod llofruddiaeth wedi'i chyflawni.

Bellach, roedd John Roberts yn ei fedd ym mynwent unig Soar uwchben pentref Talsarnau. Ond oherwydd i'r awdur-dodau yn Llundain fynnu bod y dystiolaeth am wir achos ei

18

farwolaeth yn brin yn y glorian, o bob sobrwydd bu'n rhaid cael caniatâd y Swyddfa Gartref i ddatgladdu'r truan yn gynnar fore Ebrill yr 17eg.

Trefnwyd i Dr Gerald Roche-Lynch, prif batholegydd y Swyddfa Gartref, ddod o Lundain i warchod yr holl weithrediadau a chynorthwyo'r patholegydd lleol mewn *post mortem* arall eto fyth. Potelwyd dyrneidiau o bridd oedd o gylch yr arch ar gyfer ei ddadansoddi ac aed â'r corff curiedig ymaith er mwyn canfod yn llwyr fanwl y tro hwn fesur y gwenwyn yn ei gyfansoddiad.

Wedi cwblhau'r dasg bruddaidd, rhoddwyd ei arch yn ôl yn ei chladdfa am yr ail dro mewn llai na chwe wythnos.

Roedd hanes trychineb Hen Dŷ'r Ysgol yn lledu dros y wlad a'r wasg yn porthi'r cyhoedd o wythnos i wythnos gyda'r datblygiadau diweddaraf. I'r naill ochr fel y llall o'r perthnasau, roedd darllen a chlywed adroddiadau amrwd felly yn siŵr o fod yn brofiad llethol o boenus.

Pa ryfedd, gan hynny, i un teulu yn Stryd Boston, Caergybi, ddechrau hel meddyliau. Onid oedd aelod o'r aelwyd honno ym Môn, sef John Hughes (gŵr cyntaf Alice) wedi marw o dan amodau rhyfeddol o debyg i John Roberts ym Meirionnydd? Y diwedd fu i'r teulu fynegi eu hamheuon wrth yr awdurdodau. A phen draw hynny fu galw cynhadledd yn ddiymdroi ar gyfer nos Fercher, Ebrill y 30ain, i'w chynnal yng Ngorsaf yr Heddlu yn ninas Bangor. O gylch y bwrdd yr oedd pigion yr heddlu, aelodau o Scotland Yard ynghyd â phrif feddygon maes patholeg.

Canlyniad syfrdanol y cyfarfod hwnnw fu sicrhau caniatâd y Swyddfa Gartref i godi arch John Hughes, yntau, o'r bedd ym mynwent Seiriol Sant lle bu'n gorwedd ers cryn dair blynedd. Ar gyfer yr archwiliad, cludwyd yr arch i Ysbyty Stanley yng Nghaergybi.

Ar ôl i'r gwyddonwyr a'r patholegwyr ddethol defnyddiau allan o'r corff yn ogystal ag o'r pridd ac o leithder y gladdfa, aed ati i ddadansoddi pob tystiolaeth yn llwyr fanwl. Pan gyhoeddwyd y canlyniadau gwyddonol, roedd y cyfan oll yn cynnwys graddfeydd anarferol uchel o arsenic.

Ond yna, daeth newydd sobreiddiol arall i'r gwynt: fod y swyddogion a fu wrthi'n holi ac yn stilio o gwmpas y dref-borth-ladd wedi canfod i Alice, ychydig cyn marwolaeth ei gŵr cyntaf, arwyddo Cofrestr Gwenwyn mewn siop fferyllydd yng Nghaer-gybi pan brynodd yno duniaid o chwynladdwr yn cynnwys arsenic.

Ac yna, er dryswch pellach, methwyd yn lân â chanfod dim oll o olion y gwenwyn llethol ar na chwynnyn na phriddyn yng ngardd ei chartref yn 24 Stryd yr Orsaf.

Ond eto fyth, am na ellid yn deg brofi union achos marwol-aeth John Hughes, ni allai'r Cyfarwyddwr Erlyniadau Cyhoeddus wneud dim ond datgan ei bod yn amhosibl dwyn cyhuddiad yn erbyn neb.

Roedd y cyd-ddigwydd rhwng marwolaeth y gŵr cyntaf ym Môn a'r ail ŵr ym Meirion yn hynod, a dweud y lleiaf.

7

O Strangeways i Flaenau Ffestiniog

(1)

Yng nghwrs yr wythnosau cynhyrfus rhwng mis Mawrth a mis Ebrill, roeddid wedi dwyn Alice gerbron yr ynadon ar bum achlysur yn olynol. Unig amcan hynny oedd sicrhau hawl gan y gyfraith ar gorn pob cais i'w chadw ymhellach yn y ddalfa tra byddai'r heddlu'n ymchwilio'n ddyfnach i'r achos. Ar gyfer ymchwilio o'r math hwnnw roedd yn rhaid i'r swyddogion wrth amser, a chyflawnder ohono.

Erbyn hynny, bu Alice yn nychu yng ngharchar Strangeways ym Manceinion am fis a mwy. Yn y man, oherwydd arafwch yr erlyniad yn dod â'i hachos hi ymlaen i'r llys, dechreuodd y rhai a fyddai'n ei hamddiffyn deimlo'n bur anniddig. Teg yw egluro fod Alice wedi cael cefn gwir gadarn i ddadlau o'i phlaid pan ddelai'r amser. Y sawl a ddewiswyd oedd Mr Cledwyn Hughes o dref Caergybi, cyfreithiwr gyda'r disgleiriaf yn swyddfa T.R. Evans, Hughes a'i Gwmni, heb anghofio'n ogystal ei fod yn Aelod Seneddol dros Fôn, ac yn wleidydd o ddoniau digamsyn-iol. Partner iddo, gŵr ifanc llachar ei allu, oedd Mr Dafydd Cwyfan Hughes ac ef a gynrychiolai Alice yn Llys Penrhyndeu-draeth pan bwyswyd am yr hawl cyntaf un i'w chadw yn y ddalfa.

O'r diwedd, ar ddydd Iau, Mai y 15fed, o dan ofal heddferch, cludwyd Alice o garchar Strangeways a'i lletya mewn cell dros nos yng Ngorsaf yr Heddlu yn nhref Caernarfon. Ar y tran-noeth, byddai'n wynebu'r prawf. Ond nid ym Mhenrhyndeu-draeth y tro hwn am y byddai ystafell syml y cwrt yn anobeithiol o fychan i gynnwys cyfreithwyr, tystion, newyddiadurwyr a ffotograffwyr Fleet Street Llundain, a nifer o ohebwyr lleol, heb anghofio'r dorf o bobl chwilfrydig. Cytunwyd, felly, i gynnal yr achos ychydig o filltiroedd i ffwrdd yn nhref chwareli Blaenau Ffestiniog lle'r oedd ystafelloedd llawer hwylusach.

Am ddeg o'r gloch y bore, Mai yr 16eg, agorwyd yr achos yn y Blaenau o flaen pum ynad lleol gyda'r cadeirydd, Mr L.N. Vincent Evans yn ŵr tra phrofiadol ym myd y gyfraith. Cyflwynwyd yr achos ar ran y Goron gan Mr J. Fitzgerald Marnon, bargyfreithiwr o Lundain, ac yn gweithredu ar ran y Cyfarwyddwr Erlyniadau Cyhoeddus yr oedd Mr F. Donald Barry.

Os oedd cadernid gan ochr yr erlyniad, daeth yn amlwg yn fuan fod gan ochr yr amddiffyn, hithau, nerth sylweddol. Roedd Mr Cledwyn Hughes wedi llwyddo i gael gwasanaeth y bargyf-reithiwr gwydn, Mr F. Elwyn-Jones—a wnaed yn farwnig yn ddiweddarach. Am fod y deddfau ynglŷn â defnyddio gwenwyn (a'i werthu) yn arwain i faes dyrys iawn, roedd trafod effaith gwenwyn ar y corff dynol yn arwain i faes mwy dyrys fyth. Gan ffroeni hynny, roedd Mr Cledwyn Hughes wedi trefnu y byddai Dr R.J. Milne wrth law gyda'i gynghorion.

Ar ôl agoriad y llys, galwodd y Clerc ar Alicia Millicent Roberts i ateb i'w henw cyn darllen y ddau gyhuddiad, ei bod wedi llofruddio'i gŵr, ac wedyn iddi geisio cyflawni hunan-laddiad.

Wedi hynny, cododd J. Fitzgerald Marnon ar ei draed a'i gyflwyno'i hun fel bargyfreithiwr yn cynrychioli'r Cyfar-wyddwr Erlyniadau Cyhoeddus. Disgrifiodd yn dra manwl yrfa priodas Alice yng Nghaergybi a'r un modd briodas John Gwilym Roberts yn Nhalsarnau. Cyfeiriodd at eu plant—trwy briodas ac yn fabwysiedig. Yna, nododd gyfnod gweddwdod y ddau cyn priodi eilwaith. Crybwyllodd yn gynnil yr anghytun-deb teuluol yn Hen Dŷ'r Ysgol ar ôl yr ail briodas. Sylwodd ar ymwneud yr aelwyd â Dr Hogg fel meddyg teulu. Ar ôl nodi arfer newydd gan Alice, sef paratoi uwd i frecwast, cyfeiriodd at y dirywiad sydyn yn iechyd John Roberts hyd ei farwolaeth ddisyfyd. Yna, caed hanes y meddyg, ar ôl dwy alwad ffôn, yn mynnu trefnu *post mortem*, archwiliad a brofodd yn y man fod swm o 6 gronyn o arsenic yn y corff.

Aeth y bargyfreithiwr rhagddo i sôn am ymweliad ffwndrus Alice â'r Dr Hogg drannoeth yr angladd, a'r holi a fu arni yr un noson yn Swyddfa'r Heddlu ym Mhenrhyndeudraeth, pan geisiodd ei lladd ei hun yn y toiled. Yna, disgrifiodd fel y bu Alice cyn hynny'n prynu chwynladdwr mewn mwy nag un siop yn yr ardal, a'i bod bob gafael wedi gwrthod y defnydd *sodium chlorate*, gan ddewis yn ddi-feth un ag arsenic yn ei gynnwys. Mewn un siop, pan ofynnwyd i Alicia Millicent Roberts arwyddo Cofrestr Gwenwyn y fferyllydd, yr hyn a sgrifennodd hi oedd 'A.J. White, White House, Talsarnau'. Wedi i swyddog archwilio'r tir tu cefn i Hen Dŷ'r Ysgol, daeth ar draws dau dun o chwynladdwr ac olion arsenic ynddyn nhw. Eto, nid oedd un arwydd o'r gwenwyn hwnnw yng ngardd y lle.

Ar ôl cyflwyno'r hanes fel hyn yn fras, ond nid yn frysiog, galwodd J. Fitzgerald Marnon ar ei dystion i ymhelaethu, gan awgrymu y byddai gogwydd eu tystiolaeth yn gwbl amlwg i'r ynadon. Ymddangosodd y rheini yn y drefn a ganlyn:

Tyst 1: Y Ditectif-Gwnstabl T.M. Roberts. Wedi egluro iddo fod yn tynnu lluniau ar ran yr heddlu o gwmpas Hen Dŷ'r Ysgol, cyflwynodd ef sawl ffotograff i'r ynadon eu hastudio. Pan groesholwyd ef gan F. Elwyn-Jones, disgrifiodd y tyst yr ardd fel 'anialdir o chwyn'.

Tyst 2: Dr Robert James Gowanlock Hogg, y meddyg teulu o Benrhyndeudraeth. Tystiodd ei fod wedi adnabod John Roberts ers chwe blynedd a'i fod yn cadarnhau popeth a ddywedwyd eisoes ynglŷn â'i ymwneud ef â'r digwyddiad.

Tyst 3: Y Rhingyll Thomas Davies o Benrhyndeudraeth. Aeth dros hanes ei ymweliad â Hen Dŷ'r Ysgol fore Iau, Mawrth y 6ed, wedi marwolaeth John Roberts. Yno hefyd, cofnododd ddatganiad gan Alicia Millicent Roberts yn manylu ar ei hynt fel gwraig tŷ gyda'i thylwyth a'i gŵr, pan fu ef farw. Disgrifiodd y Rhingyll y digwyddiad yn ei Orsaf ar nos Fawrth, Mawrth yr 11eg, pan fu'n rhaid cael Dr Gwennie Williams i weini ar Alice ar ôl iddi raselu'i gwddf a'i garddwrn yn y toiled.

Tyst 4: Dr Edward Gerald Evans, patholegydd yr Awdurdod Iechyd. Eglurodd iddo fod ynglŷn â dau archwiliad *post mortem* ar gorff John Roberts, y naill ar y 7fed o Fawrth 1952, a'r llall wedi'r datgladdu ar Ebrill yr 17eg. Cerddodd ias o arswyd trwy'r llys pan ddisgrifiodd y patholegydd ddull ei arbrawf: er mwyn

23

profi blas y gwenwyn mewn bwyd, roedd wedi cymysgu 5 gronyn o'r chwynladdwr a'i roi yn ei enau'i hunan. 'Cedwais ef yn fy safn am rai eiliadau cyn ei boeri allan,' meddai. 'Roedd yn hollol ddi-flas. Gallasai pum gronyn ohono'n hawdd fod yn farwol.' Arbrofodd ymhellach trwy daenu'r powdr-lladd-chwyn ar blatiad o uwd a oedd o ganlyniad yn troi yn lliw gwyrdd ysgafn. Roedd lliw felly hefyd yn colli ar y llefrith a ychwanegodd ato. Ond o dywallt y llefrith i ffwrdd, ymddangosai'r uwd wedi hynny'n hollol arferol. 'Yna,' meddai'r patholegydd mentrus, 'rhoddais lwyaid o'r uwd hwnnw yn fy ngheg cyn ei boeri allan. Ar y cychwyn, nid oedd unpeth yn od yn ei flas. Ond cyn pen chwarter awr, teimlais losgi enbyd yn fy safn a thyndra yn fy ngwddf. Aeth hynny heibio ar ôl rhyw ddeng munud. Wrth gymysgu'r chwynladdwr mewn hylif, roedd yn bendant yn cymylu dŵr. Nid oedd dim blas arno, a chredaf na byddid yn dal sylw arno o gwbl o'i ychwanegu at lefrith fesul tipyn bach.'

Tyst 5: Robert William Brian Luker, cyd-weithiwr â John Roberts yng ngwersyll milwrol y Morfa, gerllaw Tywyn, lle bu Jack yn cwyno wrtho am boenau yn ei stumog.

Tyst 6: Percival William Smarridge. Fel fforman y criw yng ngwersyll y Morfa, dywedodd John Roberts wrtho fod ganddo boen ddirdynnol yn ei stumog, a gwelodd ef â'i lygaid ei hun yn ei ddyblau mewn gwewyr.

Tyst 7: John Henry Griffiths, The Pharmacy, Penrhyndeu-draeth. Roedd yn adnabod Mrs Roberts yn dda fel cwsmer cyson. Gwerthodd duniaid o chwynladdwr iddi tua diwedd Ionawr neu ddechrau Chwefror ond anghofiodd ofyn iddi arwyddo'r Gofrestr Gwenwyn. Pan ddangosodd yr erlynydd dun iddo, cytunodd y tyst ei fod yr union fath o dun ag a werthwyd i Mrs Roberts.

Tyst 8: Lewis Glyn Williams, fferyllydd ym Mhenrhyndeu-draeth. Tystiodd i Mrs Roberts, ar Chwefror yr 28ain, ofyn am chwynladdwr yn cynnwys arsenic ond nid y math *sodium chlorate*. Archebodd un ar ei chyfer ond ni ddaeth hi i'w gyrchu.

Tyst 9: Owen Parry, fferyllydd ym Mhorthmadog. Am i Mrs Roberts archebu chwynladdwr yn ei siop ar Chwefror y 26ain (ar ôl gwrthod *sodium chlorate*) daeth i gyrchu'r tun galwyn hwnnw ar Fawrth y 4ydd. Arwyddodd y Gofrestr Gwenwyn â'r geiriau 'A.J. White, White House, Talsarnau'. Yn y llys, adnabu Owen Parry y tun fel un union debyg i'r un a werthodd i Mrs Roberts.

Tyst 10: Elizabeth Jones, gweithwraig yn y fferyllfa uchod. Cytunodd yn llwyr â thystiolaeth Owen Parry.

Tyst 11: Janet Owen, is-bostfeistres ers naw mlynedd yn Nhalsarnau. Taerodd yn ddibetrus nad oedd yn ei hardal wraig o'r enw 'A.J. White' nac ychwaith y fath gyfeiriad â 'White House, Talsarnau'.

Tyst 12: Margaret Owen, nyrs yn Nhalsarnau a'r cwmpasoedd. Tystiodd ei bod wedi adnabod Alice Roberts ers chwe mis, a'i bod ar Fawrth y 4ydd wedi cyd-deithio â hi ar y trên o Benrhyndeudraeth a cherdded gyda hi o orsaf Porthmadog am y dref.

Tyst 13: Noel Glyn Williams, swyddog yn Swyddfa'r Post ym Mhorthmadog. Ar Fawrth y 4ydd, bu Mrs Roberts wrth ei gownter yn tynnu allan swm o arian.

Tyst 14: Emrys Williams, prifathro Ysgol Gynradd Talsarnau. Eglurodd ef na bu erioed angen chwynladdwr o gwmpas y lle am nad oedd gardd yn libart yr ysgol.

Tyst 15: Richard Harvey Bowering, hyfforddwr garddwrol Awdurdod Addysg Meirionnydd. Er archwilio'r tir o gylch ysgol Talsarnau, ni welodd arwydd yn unman fod chwynladdwr wedi'i ddefnyddio.

Tyst 16: David Hilary Roberts, 17 oed, mab John Gwilym Roberts. Wedi cyfeirio at ei deulu, at farwolaeth ei fam, ac yna'i dad yn ailbriodi, soniodd fel y byddai ef a'i dad yn teithio ar yr un trên cynnar bob bore. Manylodd fel yr oeddent wedi cael uwd i frecwast ers tridiau neu bedwar cyn Mawrth y 4ydd, a bod ei lysfam yn cludo'r platiau (a'r uwd wedi'i godi'n barod) o'r pantri, a'u gosod o'i flaen ef a'i dad a Dick Hughes. Y bore hwnnw pan gyrhaeddodd yr orsaf, roedd ei dad yn cyfogi. Bore trannoeth, gan ddilyn yr un patrwm o frecwasta, am fod ei dad yn teimlo'n rhy wael i weithio, aeth i'w wely. Y bore hwnnw, cafodd yntau'r mab gwrs o ryddni. Y bore'n dilyn hynny, am fod cyflwr ei dad yn dirywio'n gyflym, aeth Hilary ati i deleffonio Dr Hogg.

Pan ofynnodd bargyfreithiwr yr amddiffyniad am ba hyd y bu ei dad yn wael, atebodd y mab iddo fod yn cyfogi am gryn flwyddyn cyn ei farwolaeth. O'i groesholi ymhellach, codwyd mater y blwch consurio y byddai Hilary yn ymddiddori ynddo. Eglurodd fod ganddo gemegau ar gyfer llyfnhau cardiau chwarae, ynghyd â rhai a gyrchodd o'r ysgol a'u cadw uwchlaw'r silff-ben-tân ar bwys y cwpwrdd bwyd. Wrth ddangos potel fechan ac arni'r enw *sodium sulphate*, holodd yr amddiffynnydd ai honno a gedwid ar y silff. Cytunodd Hilary â hynny ond eglurodd fod y powdr ar gyfer y cardiau chwarae wedi diflannu o'r blwch i rywle.

Erbyn hyn, roedd hi'n hwyr brynhawn ym Mlaenau Ffestiniog ac am fod blinder y dydd yn amlwg ar bawb yn y llys gohiriodd y cadeirydd y gweithrediadau hyd drannoeth.

(2)

Ar y calendar, dydd Sadwrn, Mai yr 17eg oedd hi. Golchai haul y gwanwyn yn gynnes, olau dros Flaenau Ffestiniog. Ond am ddeg o'r gloch y bore hwnnw, roedd drysau'r llys wedi eu hagor a'r ynadon yn eistedd mewn barn, arfer cwbl eithriadol yn y Blaenau ar ddydd Sadwrn. Os oedd yr awyr yn las o'r tu allan, roedd cymylau digon bygythiol yn crynhoi yn awyr y llys.

Aeth yr erlynydd, J. Fitzgerald Marnon, ymlaen â'i waith anorffenedig o'r diwrnod cynt trwy alw ar ychwaneg o'i dystion i gymryd llw a bachu'r naill wrth y llall yng nghadwyn hir ei achos fel a ganlyn:

Tyst 17: Sheila Ann Roberts, 14 oed, merch John Gwilym Roberts. Am mai Cymraeg oedd ei hiaith gysefin, dewisodd yn gwbl resymol dystio yn iaith ei mam a chaed cyfieithydd i drosi'i geiriau i'r Saesneg.

Disgrifiodd fel y safai wrth erchwyn gwely ei thad oedd yn pesychu ac ochneidio ychydig oriau cyn ei farw ac i'w llysfam ei hannog i fynd i'w gwely. Cyfeiriodd hefyd at lethr gwyllt y Gelli

26

yng nghefn y tŷ lle byddai ei llysfam yn arfer taflu tuniau a sbwriel dros y wal.

Wrth i'r erlynydd arddangos dernyn o lestr pridd a holi yn ei gylch, atebodd Sheila mai gweddill ydoedd o'r pot yr arferai ei thad ei ddefnyddio yn y llofft. Ond ar y dydd y bu ef farw, diflannodd y pot a rhoddwyd bwced yn ei le. Pan ddangoswyd i Sheila ddau dun gwag o chwynladdwr, tystiodd na welodd hi mohonyn nhw erioed cyn hynny ac na welodd chwaith neb yn eu defnyddio o gwmpas Hen Dŷ'r Ysgol.

Tyst 18: Ann Doreen Roberts, 21 oed, merch John Gwilym Roberts. Fel ei chwaer o'i blaen, dewisodd hithau gael siarad yn ei mamiaith a threfnwyd cyfieithydd ar ei chyfer. Soniodd amdani'i hun yn dod o Birmingham ar ymweliad â'i chartref, a'i bod wedi crybwyll wrth ei llysfam fod golwg ddi-raen ar y tŷ. Dywedodd ei bod wedi sgrifennu llythyr ar ôl dychwelyd i Birmingham yn awgrymu y byddai'n rhoi'r gorau i'w gwaith yno a dod adre i helpu. Tystiodd mai prif ddiben y llythyr hwnnw oedd gobeithio y byddai'n sbardun i'w llysfam ddiwygio ym mater cadw trefn ar y tŷ. Ar gwestiwn y tuniau chwynladdwr, mynnodd na welsai unpeth tebyg iddyn nhw yn Hen Dŷ'r Ysgol nac yn unman arall chwaith.

Tyst 19: Owen Richard Hughes, mab Alicia Millicent Roberts. Esboniodd ef fod cael uwd i frecwast yn arfer pur gyson ar yr aelwyd. Dywedodd hefyd y byddai ei fam yn coginio'r uwd yn y pantri ac yna'n cludo sosbenaid ohono i'w rannu o flaen pawb wrth y bwrdd brecwast. Fel y lleill, disgrifiodd yntau oriau olaf ei lystad cyn galw'r meddyg yn blygeiniol, a hynny ddwywaith o fewn yr awr. Mewn ateb i'r bargyfreithiwr ar ran yr amddiffyniad, tystiodd na bu iddo ef deimlo'n wael o gwbl ar ôl brecwast.

Tyst 20: Dr G. Roche-Lynch, patholegydd enwog yn Llundain. Roedd ef wedi goruchwylio'r dadansoddi ar rannau o gorff John Gwilym Roberts, yn ogystal â samplau o bridd ei feddrod. Rhwng yr archwilio yn Llundain ac yn Preston, canfu fod cynnwys arsenic y corff yn 6.95 gronyn. Er cyfaddef i rai fyw ar ôl cymryd 4.50 gronyn, eto mynnai'r patholegydd mai canlyniad gwenwyno o'r fath fyddai llosg yn y gwddf, poen stumog, cyfog a rhyddni diarhebol. Byddai'n bosibl i'r claf wella mymryn cyn dioddef cwrs arall rhwng gweinyddiad pellach o'r gwenwyn. Byddai hynny'n achosi trafferthion yn y ffroenau, yn y clustiau a'r gwddf ynghyd â pheth newid lliw ar y croen.

Tyst 21: Yr Arolygydd Lewis Jones o Heddlu Gwynedd a'i Orsaf ym Mlaenau Ffestiniog. Roedd ef wedi cael gan Mrs Roberts weddill y pecyn uwd y bu hi'n paratoi brecwast ohono yn Hen Dŷ'r Ysgol, Talsarnau, a mynnai hi nad oedd wedi ychwanegu dim oll ato ond dŵr a halen.

Ar hynny, gofynnodd bargyfreithiwr yr amddiffyniad a oedd ef fel Arolygydd wedi rhybuddio Mrs Roberts cyn cofnodi unrhyw ddatganiad ganddi.

'Ni rybuddiais i Mrs Roberts cyn y datganiad,' atebodd yr Arolygydd Lewis Jones. 'Y cwbwl a wneuthum i oedd dod i ben ag ymholiadau ar gyfer adroddiad gan y Crwner ar fater y farwolaeth ddisyfyd, heb weld angen o gwbwl i'w rhybuddio hi.'

Tyst 22: Y Ditectif-Arolygydd Llewelyn Roberts o Bencadlys Heddlu Gwynedd. Adroddodd yr hanes am holi Alicia Millicent Roberts yng Ngorsaf yr Heddlu ym Mhenrhyndeudraeth, ac fel y raselodd hi ei gwddf, ac iddo yntau'n ddiweddarach yn Ysbyty Môn ac Arfon, Bangor, ei chyhuddo o dan rybudd o'i hymgais tuag at hunanladdiad. 'Wedi hynny, yng Ngorsaf yr Heddlu ym Mangor,' meddai, 'cefais ganddi ddatganiad maith iawn ynghylch marwolaeth ei gŵr. Nid oedd wedi cael ei rhybuddio cyn gwneud y datganiad hwnnw.'

Fel yr oedd y Ditectif-Arolygydd ar fin darllen y datganiad hollbwysig er mwyn yr ynadon, dyma fellten y gyfraith yn fflachio o'i flaen. Roedd y bargyfreithiwr Elwyn-Jones wedi torri ar ei draws, wedi codi ar ei draed, a chydag ymddiheuriad ffurfiol i gyfeiriad y Fainc, bwriodd ati i egluro y gweinyddid Rheolau'r Barnwyr pan fyddai person mewn dalfa o dan amheuaeth o ddrwgweithred.

'Heb unrhyw amheuaeth,' meddai, 'roedd y diffynnydd yn y ddalfa, fel y tystiodd y swyddog ar ei lw funud yn ôl. Felly, roedd hi wedi cael ei restio. Mae Rheolau'r Barnwyr yn mynnu na ddylid holi neb yn y ddalfa cyn, yn gyntaf peth, gyhoeddi'r rhybudd arferol. Mae'r swyddog hwn newydd ddweud iddo

28

holi'r diffynnydd a chael datganiad ganddi heb iddo roi'r rhybudd hwnnw iddi.'

Aeth Elwyn-Jones yn ei flaen yr un mor fflachiog gan awgrymu fod yr heddlu'n benderfynol o'i chyhuddo hi o rywbeth. Ac am iddyn nhw fod yn ymwneud â gwraig oedd eisoes mewn gwendid oherwydd ei harchollion, roedd ei rhybuddio rhag llaw o dan y fath amodau yn rheidrwydd pendant. O'r herwydd, barnai'r bargyfreithiwr na ellid derbyn datganiad y gyhuddiedig fel tystiolaeth.

Roedd yn amlwg nad oedd dewis gan yr erlyniad ond ildio'r maes ynglŷn â'r pwynt hwnnw. Ond ychwanegodd Fitzgerald Marnon yng nghlyw'r cadeirydd, pe trosglwyddid yr achos i lys uwch y byddai'n dymuno ar i'r barnwr bryd hynny benderfynu ar werth y datganiad oedd dan sylw. Ac yna, wedi ailunioni'i gwrs, aeth ymlaen i gyflwyno'r olaf ond un i roi tystiolaeth.

Tyst 23: Dr James Brierly Firth, arbenigwr ym myd meddygaeth fforensig a Chyfarwyddwr North Western Forensic Laboratory y Swyddfa Gartref yn Preston. O archwilio rhannau o gorff John Gwilym Roberts, tystiodd iddo ganfod ynddyn nhw 2.05 gronyn o arsenic. Yn y manlwch a ysgubwyd oddi ar ddwy silff mewn cwpwrdd yn Hen Dŷ'r Ysgol, cafwyd olion arsenic oedd yn arwyddo i ddefnydd gwenwynig gael ei gadw yno. Wrth ddadansoddi cynnwys sinc-allan y gegin, caed fod arsenic yno. Felly hefyd mewn draen yng nghefn y tŷ.

Tyst 24: Mr William Jones-Williams, Prif Gwnstabl Heddlu Gwynedd. Eglurodd iddo ef fod wedi arwain ym mater y rhengadnabod yng Ngorsaf yr Heddlu ym Mhenrhyndeudraeth, ac i nifer o dystion adnabod Alicia Millicent Roberts o blith y merched fel yr un a fu'n prynu neu'n archebu chwynladdwr yn eu siopau.

Wedi i'r tyst olaf hwn siarad, cyhoeddodd Fitzgerald Marnon fod yr achos wedi'i gyflwyno ganddo ar ran yr erlyniad a'i fod yn gofyn am drosglwyddo Alicia Millicent Roberts i sefyll ei phrawf yn y brawdlys nesaf ar gyhuddiad o lofruddiaeth yn ogystal ag ymgais i gyflawni hunanladdiad.

Er siom i rai, ni chododd F. Elwyn-Jones i ymrafael â'i wrthwynebydd. Ar y naill law, gallasai dderbyn nad oedd gobaith ymwared i'w ddiffynnydd. Ar y llaw arall, fel bargyfreithiwr huawdl, gallasai gynnig gwrthddadlau'n ffyrnig. O ystyried, yn ystod y ddau ddiwrnod o wrando ar dystiolaethau niferus, bu'n hynod o wyliadwrus cyn croesholi'r tystion. O ran hynny, dim ond ar achlysuron prin iawn, iawn y cafwyd croesholi ganddo o gwbl.

Eto, trwy gydol yr amser yn y cwrt ym Mlaenau Ffestiniog, roedd ef wedi bod yn gwrando'n ddyfal ac amyneddgar, gan bwyso a mesur pawb a phopeth, bid siŵr. Roedd yn amlwg mai polisi'r amddiffyniad oedd pwyll. Rhoddai gofal pwyllog felly gyfle i'w ddychymyg awchus weithio ar ffyrdd posibl o ymwared; cyfle hefyd i'w feddwl miniog hollti'r dadleuon fel y dôi ar eu traws. Ar y foment, fodd bynnag, yr oedd gormod yn y fantol. Gan hynny, aros yn dawel yn ei sedd a wnaeth Elwyn-Jones, a gadael i'r Fainc ymneilltuo i ystyried ei dyfarniad.

Ni bu'r disgwyl yn hir na ddaeth yr ynadon yn ôl a'r cadeirydd, Mr Vincent Evans, yn cyhoeddi y byddai Alicia Millicent Roberts yn cael ei throsglwyddo i sefyll ei phrawf yn y brawdlys hwylusaf i ymgymryd â gwaith felly.

Mae'n rhaid bod F. Elwyn-Jones yn ŵr eithaf hyderus erbyn diwedd y gwrandawiad ym Mlaenau Ffestiniog. Wrth feddwl am ymrafael â'r cedyrn yn awyrgylch brawdlys, ni fyddai'r elw materol yn ddim o'i gymharu â'r bri proffesiynol a ddylai ddeillio petai'r amddiffyniad yn cario'r dydd.

Am na fu cais am fechnïaeth, aed ag Alice yn ôl unwaith eto i garchar Strangeways ym Manceinion. Yn ôl yr arfer gyda chyhuddiad o lofruddiaeth, caniataodd y llys iddi dystysgrif ar gyfer costau'r amddiffyn yn ogystal â'r hawl i ddewis dau gyfreithiwr i sefyll ar ei rhan yn nydd y prawf nesaf.

8

Brawdlys Abertawe

Y Diwrnod Cyntaf
Yn ôl y patrwm arferol, ym Mrawdlys Dolgellau y buasai Alice yn cael ei phrofi. Ond am fod y llys hwnnw newydd ddod i ben â'i orchwylion ac na chynhelid eisteddiad arall yno am rai misoedd, barnwyd mai peth anghyfiawn fyddai ei chadw gyhyd â hynny mewn carchar.

Gallesid bod wedi trefnu sesiwn dros y ffin yn ninas Caer, ond am fod tymor y llysoedd yn y fan honno hefyd ar fin dirwyn i ben, byddai'r amser i'r cyfreithwyr baratoi'r amddiffyniad yn anobeithiol o fyr ac yn anheg â phawb o'r ddeutu. A'r diwedd fu i'r Clerc, John Morgan, drefnu bod gwrando'r ddau gyhuddiad yn erbyn Alice i ddigwydd o flaen y Barnwr Ormerod yn Abertawe ym mis Gorffennaf. Peth llwyr annisgwyl oedd trosglwyddo achosion gogledd Cymru i lysoedd y de, ond am unwaith nid oedd ateb boddhaol arall yn bosibl.

Cyd-ddigwyddiad hynod oedd mai gŵr o Aberpennar yn y de a ddewiswyd i arwain yr amddiffyniad ar ran Alice, neb llai na Mr Herbert Edmund-Davies, Cwnsler y Frenhines, bargyfreithiwr athrylithgar a'i ddylanwad, heb sôn am ei fedr, yn aruthrol iawn. Os magodd F. Elwyn-Jones gynffon faith o anrhydeddau o gyfnod y pumdegau ymlaen, yr oedd gorchestion academaidd Edmund-Davies eisoes yn lleng ac yng nghwrs y blynyddoedd i ddilyn daeth mwy fyth o raddau ac o deitlau i'w ran.

Ar un wedd, gellid ei ddisgrifio fel y Gwir Anrhydeddus Arglwydd Edmund-Davies a oedd yn amlwg yng Ngorsedd Beirdd yr Eisteddfod Genedlaethol. Ar wedd arall, fe'i cofir fel y barnwr chwyrn a ddedfrydodd Ronald Biggs a'i griw i gyfnod maith o garchar adeg helynt 'Archladrad y Trên'. Dyna'r pryd y mynegodd ef ar goedd ei fod yn ffieiddio trais o bob math. Felly, wrth sicrhau talentau Edmund-Davies i wrthwynebu'r

31

erlyniad yn achos Alice, roedd Cledwyn Hughes yn ddiogel y byddai yn y llys bersonoliaeth bwerus yn ogystal â dawn gwbl syfrdanol.

Gwyddai brawdoliaeth y Gyfraith yn dda nad ar chwarae bach y ceid buddugoliaeth wrth drafod cyhuddiad o lofruddio trwy wenwyno. Gallai'r naill ochr fel y llall un ai syrthio'n glwt i fagl neu ynteu lithro'n groeniach trwy fwlch. A chyda'r achos cadarna'n bod, medrai cyfreithiwr miniog ei feddwl barlysu dadl ambell dyst diniwed a syml, a'i adael yn swp toredig o flaen y Fainc heb falio'r dim lleiaf yng ngeirwiredd y tyst hwnnw. Na hidio dim ychwaith am gyflwr emosiynol y truan wedi'r driniaeth.

Os oedd glewion yr amddiffyniad yn hogi'r cleddyfau, nid oedd mintai'r erlyniad ychwaith yn brin o arfogaeth ar gyfer 'Prawf Cymreig y Ganrif' ys dywedai'r wasg. Pan ddygid gerbron y Fainc achosion o bwys difrifol fel rhai ynglŷn ag ysbïwyr neu fater llofruddiaeth gymhleth, aeth yn arfer dewis prif swyddog y Gyfraith yn llywodraeth y dydd i lywio'r gweithrediadau ar ran y Goron. Byddai presenoldeb y gŵr hwnnw (yn arbennig os byddai'n llwyddiannus), yn glod i effeithiolrwydd y Llywodraeth yn gwarchod ei deiliaid mewn cyfiawnder. Dyna pam y trefnwyd i gael y Twrnai Cyffredinol ei hun i lywio'r erlyniad yn achos dyrys marwolaeth Jack Fawr yn Nhalsarnau.

Ar fore Mawrth, yr 8fed o Orffennaf 1952, roedd y Guildhall yn Abertawe yn orlawn, gyda channoedd yn sefyll y tu allan yn gobeithio dal ar y newyddion yn dod fesul drabiau o'r llys yng nghwrs y diwrnod. (Roedd Alice wedi'i chludo o garchar Strangeways y diwrnod cynt, yn barod at y bore.)

Yn y man, daeth galwad ar i'r cynulliad sefyll i dderbyn cynrychiolydd y Frenhines o Uchel-lysoedd Cyfiawnder Llundain. Ac yna cerddodd y Barnwr Ormerod i mewn a'i glogyn coch drosto a pherwig am ei ben. O'i flaen safai'r ddwy-blaid a fyddai cyn bo hir yn mynd i'r afael â'i gilydd, ac wedi eu rhannu fel hyn:

Ar ran y Goron: yr arweinydd, Syr Lionel Heald, Cwnsler y Frenhines, A.S., y Twrnai Cyffredinol. Ei eilydd—Mr Hildreth Glyn-Jones, Cwnsler y Frenhines, prif swyddog cyfreithiol Caerdydd. Eu cynorthwywyr—Mr J. Fitzgerald Marnon, bargyfreithiwr, a chynrychiolydd y Cyfarwyddwr Erlyniadau Cyhoeddus, sef Mr F. Donald Barry, cyfreithiwr. *Ar ran yr Amddiffyniad*: Mr H.E. Edmund-Davies, Cwnsler y Frenhines, prif swyddog cyfreithiol Abertawe. Ei eilydd—Mr F. Elwyn-Jones, A.S., prif swyddog cyfreithiol Merthyr Tudful. Eu cyfarwyddwyr—Mri Cledwyn Hughes, A.S., a Dafydd Cwyfan Hughes.

Pan alwodd y Clerc am gyrchu'r sawl a gyhuddid o'r gell, yn y man ymddangosodd Alice rhwng y ddwy blismones oedd yn ei hebrwng. Cerddodd yn araf i'r doc, ei gwisg yn dywyll a'i gwedd yn betrus. Eglurodd y Clerc wrthi fod dau gyhuddiad yn ei herbyn. I'r cyhuddiad cyntaf, iddi achosi marwolaeth John Gwilym Roberts, atebodd yn glir, 'Dieuog'. I'r ail, ymgais i'w lladd ei hun, atebodd yn dawelach, 'Euog'.

Golygai pledio'n ddieuog o ladd ei gŵr y byddai gofyn i'r Clerc ddidol deuddeg o reithwyr o blith y deg ar hugain a alwyd i fod wrth law. Wedi dewis naw dyn a thair dynes, a'u tynghedu ar lw, aeth aelodau'r rheithgor i'w lle ar y meinciau. Eu dyletswydd hwy bellach fyddai gwrando ar bopeth er mwyn pennu dedfryd o fawr bwys maes o law.

Cododd Syr Lionel Heald yn bwyllog i'w lawn hyd, a chan ryw hanner troi i gyfeiriad y rheithgor, dechreuodd annerch gan adrodd holl hanes yr helynt a fu yn Hen Dŷ'r Ysgol, Talsarnau. Yn union fel yn llys ynadon Blaenau Ffestiniog, aeth y Twrnai Cyffredinol yn ofalus trwy bob manylyn gwybyddus o'r stori . . . salwch a marwolaeth John Roberts . . . galw Dr Hogg . . . y *post mortem* . . . amheuon ynglŷn ag arsenic . . . prynu'r chwynladdwr . . . arwyddo gyda'r enw 'A.J. White' . . . diffyg prawf i'r tuniau gael eu defnyddio yn yr ardd . . . cyffro hollti garddwrn a gwddf â llafn rasel . . . awydd Mrs Roberts i ymfudo o'r wlad . . . y blinfyd rhyngddi a Doreen . . . a'r ddwy farn groes am weinyddu'r brecwast uwd i'r teulu. Sylwodd hefyd fel yr aeth Alice a John Roberts i dref Pwllheli am fod ei gŵr yn awyddus i brynu siwt newydd at y Pasg, hynny ychydig cyn ei salwch terfynol.

Wedi traethu am awr ac ugain munud, crynhodd Syr Lionel y cyfan â'r sylw: 'Foneddigesau a boneddigion y rheithgor, nid oes unpeth mwy brawychus na gwenwyno, gyda'i gyfrinachedd, ei fwriadusrwydd a'i greulondeb. Os byddwch yn derbyn fod Mrs Roberts wedi rhoi gwenwyn i'w phriod, yna y mae trosedd dieflig wedi'i gyflawni.'

Er i'r Twrnai Cyffredinol siarad yn eglur a gofalus, teimlai carfan o adran yr heddlu fod rhywbeth yn eisiau yn yr agoriad. Gwaeth na hynny, roedd ambell un yn dyfalu'n reddfol fod gwendid yn rhywle ac y byddai sylfeini'r erlyniad yn dueddol o gael ysgytwad cyn bo hir.

Pan alwodd Syr Lionel ar Dr Hogg i dystio, disgrifiodd yntau (fel y gwnaeth yn y llysoedd llai) ei ymwneud ag enghreifftiau o salwch yn hanes gŵr a gwraig Hen Dŷ'r Ysgol. Soniodd fel y bu Alice yn cwyno wrtho am fod croesdynnu rhwng y ddau ohonyn nhw ynghylch y plant; poenai hefyd am fod gofynion rhywiol ei gŵr yn ei llethu'n ormodol ac iddi lawn ystyried dianc o'r fro. Pan fanylodd ar helynt raselu'i gwddf yng Ngorsaf yr Heddlu, torrwyd ar rediad pethau am i Alice ddechrau wylo'n hidl yn y llys gan sychu'i dagrau â'i hances.

Torrwyd ar y digwyddiad hwnnw wedyn pan fanteisiodd Edmund-Davies ar ei gyfle cyntaf i siglo mymryn ar seiliau'r erlyniad trwy ofyn i Dr Hogg sut fath o ddyn oedd John Gwilym Roberts. Atebodd y meddyg: 'Efallai ei fod yn oremosiynol a niwrotig. Cwynai fod pendro arno, a'i fod ar brydiau'n teimlo'n anniffiniol o od. Am y byddai'n poeni llawer amdano'i hunan a'i iechyd, dôi ataf gyda'r gŵyn leiaf. Rhoddais iddo, ar gyfartaledd, dair potelaid o foddion bob mis.'

Roedd hyn fel agorawd i gyfres o gwestiynau minllym a fyddai'n tynnu allan o'r tyst fanylion yr oedd yr erlyniad o bosibl yn dymuno'u cadw dan gaead, neu yn eu hystyried yn amherthnasol i'r ddadl. I'r amddiffyniad, fodd bynnag, gallent fod yn aruthrol o bwysig yn eu brwydr i ryddhau Alice.

Wedi cael Dr Hogg mewn gafael fel hyn, mynnwyd ychwaneg

o wybodaeth ganddo. Dywedodd y meddyg fel yr oedd Doreen, ar y naill law wedi edliw iddo ef farwolaeth ei thad a bod yn esgeulus ohono, tra bod Owen Richard Hughes, mab Mrs Roberts, ar y llaw arall, yn gwbl fodlon ar ei wasanaeth fel meddyg. Oedodd wedyn ar hanes ymweliad Dick a'i fam â'r feddygfa a thystiodd y byddai—oni bai am yr heddlu—wedi anfon Alice i ysbyty'r meddwl y noson honno. Sylw olaf Dr Hogg yn y brawdlys oedd hwn: 'Pan adawodd hi fy meddygfa tua deg o'r gloch, fe wyddwn ei bod yn mynd i Orsaf yr Heddlu, ond nid oedd gennyf un syniad i ba ddiben. Petawn wedi deall beth oedd yn digwydd, buaswn wedi awgrymu y dylai fod yn mynd i'r ysbyty. Doeddwn i ddim yn credu ei bod mewn cyflwr addas i gael ei chroesholi.'

Ystyriai'r heddlu'r ateb hwn yn un rhyfeddol o ddryslyd a bod y meddyg wedi troi yn ei garn. Onid oedd Dr Hogg yn y lle cyntaf wedi rhybuddio'r heddlu o'i wirfodd fod Alice yn ei feddygfa ac ar fin cael ei danfon i ysbyty meddwl?

Yn dilyn hyn, galwodd Syr Lionel Heald ar y tri fferyllydd i dystio yn eu tro fel y bu Alice un ai'n prynu neu ynteu'n archebu chwynladdwr oedd yn cynnwys arsenic. Fel yn llys Blaenau Ffestiniog, cafwyd yr un manylion gan y tri gŵr, John Henry Griffiths, Owen Parry a Lewis Glyn Williams. Wedyn dangoswyd llyfr Cofrestr Gwenwyn siop Owen Parry gan Elizabeth Jones, Fronallt, Garndolbenmaen, a oedd yn gweithio i'r fferyllydd. Yn y llyfr gellid gweld yr enw ffug 'A.J. White' a sgrifennodd y gyhuddiedig yn hytrach na'i henw'i hun, sef Alicia Millicent Roberts.

Ni alwyd ar Janet Owen o Swyddfa'r Post yn Nhalsarnau am fod y Brawdlys yn derbyn ei gair nad oedd y ffasiwn gyfeiriad â 'White House' yn yr ardal. Ni alwyd ychwaith ar yr ysgolfeistr, Emrys Williams, a fynegodd yn y llys cynt fod chwynladdwr yn hollol ddibwrpas am nad oedd gardd gan yr ysgol.

Yna daeth Richard Bowering i dystio iddo, ar Fawrth y 15ed, archwilio'r tir o gwmpas yr ysgol ar gais yr heddlu, ac na fedrodd ganfod unrhyw olion chwynladdwr yn unman. Pan ofynnodd Syr Lionel i'r garddwr enwog faint o dir a orchuddid

wrth daenu cynnwys tun galwyn drosto, atebodd yr arbenigwr y gallasai fod yn dri neu bedwar canllath sgwâr.

Am y tyst nesaf a alwyd, byddai'n gwbl resymol tybio mai ar ochr yr amddiffyniad y safai ef. Ond am ei fod yn y cartref ar adeg marwolaeth John Roberts ac y gellid tynnu ohono wybodaeth o fudd, mentrodd Syr Lionel ar gwrs o'i holi. Y tyst hwnnw oedd Owen Richard Hughes (Dick), mab Alice Roberts.

Wrth ateb Syr Lionel, roedd yn siarad mor isel nes i'r Barnwr ofyn iddo fwy nag unwaith godi'i lais. Wedi mynd trwy fanylion oriau olaf ei lystad yn Hen Dŷ'r Ysgol, aeth ymlaen i'w ddisgrifio'i hun yn llewygu ar ôl i'w fam ei hanafu'i hun yng Ngorsaf yr Heddlu ym Mhenrhyndeudraeth.

Pan glywodd ei mab yn adrodd yr hanes hwnnw yn y llys, aeth Alice yn ddrylliau a bu'n beichio crio am rai eiliadau. Bu dyfalu ymysg rhai ynghylch y dagrau hynny, p'run ai trawma mam yn ei gofid oedd yr achos ai ynteu ple cyfrwys am gydymdeimlad y rheithgor.

Gweddill tystiolaeth Dick wrth ateb Syr Lionel oedd gwadu i'r brecwast uwd gael ei rannu ar blatiau o olwg y teulu, ond iddo'n hytrach gael ei ddidol wrth y bwrdd yng ngŵydd pawb. Mynnodd hefyd na welodd erioed chwynladdwr yn Hen Dŷ'r Ysgol, na gwybod chwaith am neb a'i defnyddiodd yn y cartref.

Cyn gynted ag y gorffennodd Syr Lionel â'i dyst, daeth Edmund-Davies i'r adwy trwy ofyn i Dick a oedd ei fam yn hoff o blant. Wedi sicrhau ateb cadarnhaol ganddo, cadwodd y bargyfreithiwr ar y trywydd hwnnw gan ddenu'r mab i sôn ymhellach am y tiriondeb oedd yn natur ei fam.

'Yn 1940,' meddai Dick, 'pan laddwyd nyrs yn Dunkirk, cymerodd fy mam ei geneth bum mlwydd oed i'w gofal. Ac yn 1948, mabwysiadodd faban saith niwrnod oed o Ysbyty Famaeth leol . . . Ni welais fy mam erioed yn angharedig wrth neb . . . Pan drawyd fy llystad yn wael, arhosodd fy mam ar ei thraed drwy'r nos i weini arno. 'Ddiosgodd hi mo'i dillad hyd yn oed.'

Pa mor gadarn bynnag y codwyd mur yr erlyniad, roedd Edmund-Davies erbyn hyn fel crefftwr a'i gŷn yn ei law yn pwnio am graciau rhwng y meini. Roedd wrthi mor feistrolgar fel y gallai hyd yn oed *greu* craciau pe dymunai. Cyn gorffen â'r tyst gwerthfawr oedd o'i flaen, bwriodd dair ergyd egr i wal yr erlyniad gan argoeli y byddai gwaeth i ddod: cafodd glywed gan Dick nad oedd Hilary ddim wedi crybwyll erioed iddo ddioddef rhyddni nes i'r llysoedd ddechrau'i holi. Cafodd glywed hefyd mai prif achos y croesdynnu ar yr aelwyd oedd Doreen, y bu'n rhaid galw'r Rhingyll Davies i'r tŷ o'i herwydd ar un amgylchiad. Ac yna cafodd glywed i John Roberts fod mor isel ei ysbryd pan weithiai yn Birmingham nes iddo lawn ystyried gwneud diwedd arno'i hunan.

Eisteddodd Edmund-Davies i lawr gan wybod, bid siŵr, iddo ddangos crac amlwg yn y mur ac y gallai, o ddal ati gan bwyll, greu agen, a'r agen honno gydag amser yn lledu'n fwlch agored. Bwlch dihangfa, efallai.

Bellach, gwelai'r Brawdlys bosibilrwydd newydd sbon: nad gŵr wedi'i lofruddio oedd John Gwilym Roberts, ond dyn oedd wedi'i ladd ei hunan trwy gymryd arsenic. Onid oedd y labordai fforensig wedi profi bod swm helaeth o'r gwenwyn yn ei gyfansoddiad? Mae'n wir y byddai swm cyfatebol i hynny'n bur anarferol mewn achos o lofruddiaeth ond wedyn, mewn achos o hunanladdiad, gallai'r fath swm fod yn beth cwbl gyffredin. Erbyn hyn, roedd yn eglur nad yn ofer y bu Cledwyn Hughes a'i gyfreithwyr yng Nghaergybi yn llafurio gyda'r amddiffyniad.

Yn dilyn hynny, ni ddewisodd Syr Lionel holi'r tyst, Owen Richard Hughes ymhellach. Yn hytrach, galwodd ar David Hilary Roberts, mab y diweddar John Gwilym Roberts. Pan holwyd ef sut oedd ei dad a'i lysfam yn cyd-dynnu, atebodd yntau y byddai ei dad yn gorfod ildio i'w wraig yn gyson, ond bod eu perthynas, ar wahân i hynny, yn un weddol dda.

Ar ôl i Hilary ddod i ben â'i dystiolaeth, cyhoeddodd y Barnwr Ormerod ei bod yn hwyr brynhawn ac mai buddiol fyddai gohirio'r gwrandawiad hyd drannoeth.

YR AIL DDIWRNOD
Agorwyd gweithrediadau ail ddiwrnod y Brawdlys gyda Herbert Edmund-Davies yn croesholi David Hilary Roberts.

I'r gyfres o gwestiynau a anelwyd ato, atebodd yntau y tybiai fod perthynas ddi-fai rhwng ei dad a'i lysfam . . . ei fod yn arfer gan bawb o'r teulu yn eu tro daflu sbwriel i'r Gelli . . . fod ei dad yn cymryd moddion at ei stumog ers blynyddoedd, ond nid yn gyson felly . . . fod ei lysfam yn esgeuluso'r gwaith tŷ gan adael y gofal hwnnw i'r ddwy ieuengaf.

Ar y sylw hwnnw, torrodd Edmund-Davies ar ei draws gan awgrymu fod Hilary yn bwriadol bardduo'i lysfam. Yna, mewn ateb i union drefn y brecwasta ar yr aelwyd, eglurodd y llanc y byddai ei lysfam yn rhoi uwd ar y platiau yn y cefn, ac yna'n eu dosbarthu i aelodau'r teulu wrth y bwrdd. Crybwyllodd hefyd iddo yntau ddioddef rhyddni wrth fynd i'w waith ar y trên boreol hwnnw ar Fawrth y 5ed ond ei fod yn iawn erbyn cyrraedd Tywyn.

Daeth yn dro i Syr Lionel alw un arall o'i dystion, sef Sheila Ann Roberts, chwaer Hilary. Pan gerddodd yr eneth bymtheng mlwydd oed yn swil i ganol awyrgylch ddieithr y llys poblog, torrodd ei chalon yn lân. Wedi dod ati'i hun, dewisodd gael siarad yn y Gymraeg a gofalodd cyfieithydd ei gwarchod yn y gwaith hwnnw o frawddeg i frawddeg.

Disgrifiodd Sheila y profiad dreng o godi yn ystod y nos wrth glywed ei thad yn griddfan, a'i llysfam yn peri iddi fynd yn ôl i'r gwely. Yna, yn nes ymlaen wrth fynd rhagddi gyda'i thystiolaeth, pan ofynnodd Syr Lionel beth oedd y darnau toredig a arddangosid o'i blaen, eglurodd hithau mai gweddillion y pot o dan wely ei thad oedden nhw, ond bod ei llysfam wedi cyfnewid y llestr am fwced wythnos cyn hynny.

Wrth i'r erlynydd ddangos llyfr o'i blaen, esboniodd Sheila mai ei geiriadur ysgol ydoedd. O'i holi a welodd hi o'r blaen y ddau dun oedd yn cael eu harddangos yn y llys, atebodd, 'Naddo, erioed.'

Cyn tewi, mynnodd Syr Lionel un cywiriad ynglŷn â thystiolaeth Sheila: am iddi yn llys ynadon Blaenau Ffestiniog ddweud i'r pot gael ei newid yn y llofft am fwced *ddiwrnod* cyn marwolaeth ei thad, ond y bore hwnnw yn Abertawe, *wythnos* a ddywedodd hi. Heb betruso dim, atebodd Sheila mai *diwrnod* a olygai.

Pan alwyd Doreen, merch hynaf John Roberts, i dystio, gellid teimlo tyndra gwahanol yn awyr y lle. Fel y câi'r achos ei droi a'i drosi gan wŷr y gyfraith, roedd arwyddion ar gerdded os oedd yr amddiffyniad am wneud bwch dihangol o rywun, mai Doreen fyddai'r person hwnnw.

Daeth ei hawr i roi tystiolaeth, a dewisodd wneud hynny yn iaith ei mam, gyda chyfieithydd yn hwyluso pethau. Prin y byddai Syr Lionel Heald ar ran yr erlyniad yn dymuno'i baglu hi, a'r cyfan a wnaeth oedd ei thywys fesul cwestiwn er mwyn cael disgrifiad ganddi o gyflwr y cartref yn Hen Dŷ'r Ysgol. 'Aflan' oedd gair Doreen, a'r plant, meddai, fel petaent yn ofnus i siarad â hi. Dywedodd i'w llysfam addef wrthi ei bod hi (ei llysfam) wedi gadael y lle i fynd i'r diawl, ac awgrymu bod ei thad yn ysmygu gormod. Sylwai Doreen hefyd fod ei thad, wrth ei danfon i orsaf y trên, yn fwy myglyd nag arfer.

Yn dilyn hyn, daeth cyfle'r amddiffyniad i'w chroesholi, a gwnaed hynny gan Edmund-Davies mewn dull oedd agos â bod yn ddinistriol. (Cydnabyddir bod gallu meistraidd gan gyfreithwyr i daflu tyst oddi ar ei echel. Gweir hynny'n gyfrwys gyda chwestiynau pryfoclyd a lled bersonol, a thrwy ddal ati felly gan gilawgrymu hyn ac arall, gall hynny yn y diwedd orlethu'r tyst a'i ffyrnigo i ddadlau yn ôl. Fel rheol, dyna'r union adeg y caiff y croesholwr y truan yn ei wendid a hawdd wedyn fydd ei gael i'r afael. A'r afael honno'n tynhau fwyfwy.) Ym Mrawdlys Abertawe, cafodd Doreen ei thrin felly a bu'n rhaid i'r Barnwr ei rhybuddio mai ei lle hi oedd ateb cwestiynau ac nid dadlau â'i gwrthwynebydd.

Pan wasgodd Edmund-Davies arni ei bod yn erbyn dyfodiad gwraig arall i'w chartref, haerodd Doreen iddi'i chroesawu am ei bod hi angen mam. Ynghylch yr awgrym i Mrs Roberts ofalu am ddefnydd cyrten i'r tŷ, taerodd Doreen na wnaed dim byd o'r fath beth. Yna, bwriodd Edmund-Davies gwestiwn ati o gyfeiriad arall,

'Ers dechrau'r helynt yma, a fyddech chi'n gwadu eich bod wedi gwerthu sawl ffotograff i'r wasg, gan gynnwys rhai o'ch tad?'

'Fe bwyswyd arnaf i wneud hynny,' atebodd Doreen. 'Roedd y wasg yn cynnig talu i mi, a doedd gen innau ddim arian.'

'Oedd yna groesdynnu rhyngoch chi a'ch llysfam ynglŷn â dresel Gymreig?'

'Roedd fy nhad yn awyddus imi gael y dresel i'w chadw yn y teulu . . . a'm llysfam yn dweud pe dôi'r dresel i mewn trwy un drws, yr âi hi allan trwy'r llall.'

Pan holodd Edmund-Davies ynghylch llythyr a anfonodd hi at ei thad yn dweud y bwriadai ddod adre'n ôl o Birmingham, aeth pethau'n drech na Doreen a bu'n rhaid aros rhai munudau iddi ddod ati'i hunan. Serch hynny, gan fod y pysgodyn ar ei fach, nid oedd y bargyfreithiwr am ollwng gafael, a mynnodd iddi drafod y posibilrwydd fod ei llysfam yn ddynes wael a'i bod, rhwng gofalon am ŵr egwan ei iechyd, ar ben gofalon cartref, yn methu dod i ben â phethau. Pwysodd ymhellach ar Doreen i ateb a oedd wedi dweud wrth ei llysfam (wedi marw'i thad) mai ei heiddo hi fyddai'r tŷ bellach ac y gallai hi fynd i'w ffordd ei hunan. Gwadodd Doreen hyn, gan ddyfynnu'r enghraifft o'i brawd bach yn gorfod gwisgo crys oedd yn gerpyn aflan, a phan ofynnodd hi am un glân i fynd â'i brawd am dro, cafodd yr ateb, 'Fi yw meistres y tŷ yma, ac fe elli di a'r plant fynd i'r diawl.'

'Onid yw'n wir,' gofynnodd y bargyfreithiwr, 'eich bod chi wedi cyhuddo Dr Hogg o rai pethau?'

'Nac ydi,' atebodd Doreen. 'Y cwbl a ddwedais i oedd fy mod i'n gofidio na fyddai o wedi dod at fy nhad pan ofynnwyd iddo gynta', cyn iddo farw. Ond wnaeth o ddim. Dod ar ôl i 'nhad farw wnaeth o.'

Wedi i'r amddiffyniad ddod i ben â'r croesholi caled, maith ar Doreen, cododd Syr Lionel Heald i alw rhagor o dystion. Y nesaf oedd y Rhingyll Thomas Davies, Penrhyndeudraeth. Yn bennaf dim, ailadrodd y stori o'i chychwyn a wnaeth yr heddwas —hanes ei alw i Hen Dŷ'r Ysgol, cael datganiad gan Alice am salwch John Roberts, patrwm y brecwast uwd, galw ar Dr Hogg, a threfnu i gludo'r corff ar gyfer *post mortem* i Fangor. Soniodd am yr adeg yr aeth y gŵr a'r wraig i Bwllheli ar fwriad o brynu siwt newydd i John Roberts. Wedyn y cyffro yng Ngorsaf yr Heddlu pan dorrodd Mrs Roberts ei gwddf â llafn rasel, gweithred yr oedd hi erbyn hyn wedi pledio'n euog o'i chyflawni.

Os bu croesholi ar y Rhingyll, mae'n ymddangos na ddaeth dim byd o werth arwyddocaol o hynny. Eto, oni ellid bod wedi dadlau ar bwynt yr ymgais at hunanladdiad ac awgrymu mai euogrwydd oedd wedi dod ag Alice i ben ei thennyn ac iddi gymryd y cam terfynol tuag at ddihangfa? Byddai dadlau o safbwynt felly wedi gwasgu'n ddirfawr ar yr amddiffyniad. Ond yn ffodus iddyn nhw yn hynny o beth, roedd Alice wedi pledio'n euog i'w hymgais hunanladdiad, a thrwy wneud felly roedd hi wedi tynnu'r tir o dan draed pawb.

Yr oedd un pwynt arall (lled ddiniwed efallai) y gallasai'r erlyniad ddadlau yn ei gylch, sef i John Roberts fynd i Bwllheli ar fwriad o archebu siwt iddo'i hun. Os oeddid yn awgrymu i Jac Fawr gymryd gwenwyn arsenic fesul tipyn, a hynny o'i wirfodd, onid rhesymol gofyn a fyddai'r sawl sy'n bwriadu ei ladd ei hun yn archebu siwt newydd?

Sut bynnag, nid i gyfeiriad felly yr aeth pethau yn y Brawdlys a dewisodd y Twrnai Cyffredinol alw am dystiolaeth arall, y tro hwn gan ŵr a fu ar bigau'r drain yn aros ei dro i dystio. Y tyst hwnnw oedd y Ditectif-Arolygydd Llewelyn Roberts. Mewn ateb i'r alwad cerddodd y swyddog corffol i'r llys, ei wisg fel ei wallt a'i wedd yn raenus a chymen. Ar gais Syr Lionel Heald, rhoddodd gyfrif o'r noson pan welodd ef Mrs Roberts ym meddygfa Dr Hogg, yna'n ei holi hi yng Ngorsaf yr Heddlu, a hithau wedyn yn y toiled yn anafu'i gwddf â llafn rasel pan addefodd wrtho ei bod wedi bwriadu cymryd ei heinioes yn gynharach y dydd hwnnw.

Ar ôl i Syr Lionel orffen â'r tyst, safodd Edmund-Davies yn syth ar ei draed ac meddai wrth y swyddog,

'Rydych chi newydd dystio fod Mrs Roberts yn wael wrth i chi ei holi ar nos yr unfed ar ddeg o Fawrth. Clywyd Dr Hogg, yntau, yn dweud ei bod hi ar fin chwalfa nerfol. Os felly, fuasech chi'n cytuno fod eich ymddygiad tuag ati yn dwyn anfri arnoch fel heddlu?'

'Na fuaswn,' atebodd y Ditectif-Arolygydd.

41

'Oni ddywedodd Dr Hogg nad oedd hi ddim mewn cyflwr i'w holi?'

'Fe ddywedodd Dr Hogg ei fod o'r farn ei bod hi'n wael, ond yn bendant ni ddywedodd nad oedd hi mewn cyflwr i'w holi. Fe dybiais i y byddai ei holi yn beth cwbl deg a rhesymol i'w wneud.'

Yna, torrodd y Barnwr Ormerod ar draws gyda chwestiwn i'r Ditectif-Arolygydd,

'Wrth i chi adael y feddygfa y noson honno, a wyddai Dr Hogg eich bod yn cymryd y gyhuddiedig i Orsaf yr Heddlu i'w holi yng nghyswllt llofruddiaeth bosibl?'

'Fe ddywedais i wrth Dr Hogg, f'Arglwydd, fy mod yn mynd â hi i'r orsaf i'w holi.'

Ailgydiodd Edmund-Davies yn ei dasg, a dweud wrth y swyddog,

'Rwy'n awgrymu i chi roi'r argraff i fab Mrs Roberts eich bod yn mynd â'i fam i ysbyty.'

'Fedra i ddim deall pam y cafodd o'r argraff honno,' oedd ateb Llewelyn Roberts.

Aeth y bargyfreithiwr ymlaen i drafod gyda'r swyddog y ddau dun chwynladdwr a ganfuwyd ym mhrysgwydd y Gelli, a nododd na wnaed ymgais gan neb i'w cuddio o'r golwg.

'Fedrai neb eu gweld nhw,' atebodd y Ditectif-Arolygydd, 'oni bai ei fod yn dringo dros wal yr ardd i'r rhan honno o'r gwylltir.'

Pan alwyd yr Arolygydd Lewis Jones o Flaenau Ffestiniog, tystiodd iddo gael cydsyniad Mrs Roberts i fynd â gweddill y paced uwd a wnaed i frecwast gydag ef. Ategodd hefyd iddo ef a'r Ditectif-Arolygydd Llewelyn Roberts ddod o hyd i'r ddau dun chwynladdwr yn y Gelli, a chadarnhaodd mai'r rheini oedd y rhai a arddangosid yn y llys.

Y nesaf i dystio oedd Mr Noel Glyn Williams a weithiai wrth gownter Swyddfa'r Post ym Mhorthmadog. Mewn ateb i Syr Lionel, dywedodd ei fod yn adnabod y gyhuddiedig fel 'Mrs Hughes' o'i gweld yn rheolaidd yn y post yn codi pensiwn gweddw a'r tâl lwfans ar gyfer ei dwy eneth fach. Er i dystiolaeth y gweithiwr post honni i Mrs Roberts dwyllo, eto prif ddiben ei alw fel tyst oedd cael prawf pendant i'r gyhuddiedig fod yn nhref Porthmadog ar Fawrth y 4ydd pan brynodd dun galwyn o chwynladdwr a ffugio enw arall yn y fferyllfa. I'r erlyniad, roedd hwn yn ddyddiad o bwys am mai ar y trannoeth yr aeth John Roberts yn ddifrifol wael a marw'n fuan wedyn.

Y nesaf i'w alw gan Syr Lionel oedd Dr J.B. Firth, Cyfarwyddwr y Swyddfa Gartref yn Labordy Fforensig Preston, a thystiodd yntau iddo ganfod olion arsenic yn y darnau pot toredig, yn ogystal ag olion eiddilach o'r gwenwyn yn nraen allanol sinc y gegin yn Hen Dŷ'r Ysgol.

Pan ddaeth tro'r pathologydd, Dr Edward Gerald Evans, tystiodd yn bendant i John Gwilym Roberts farw o wenwyn arsenic. Fel o'r blaen, disgrifiodd ei fenter frawychus yn profi effaith y gwenwyn ar ei dafod ei hunan, ei arbrawf gydag arsenic yn newid ei liw mewn uwd a llaeth ac yna effaith chwyrn y cyfan ym mhen draw ei wddf.

Wedi i Syr Lionel dynnu ffeithiau fel hyn i'r amlwg, aeth Edmund-Davies i groesholi a chael y pathologydd i addef nad oedd wedi llyncu'r gwenwyn—dim ond ei boeri allan. 'Gan hynny,' meddai wrth yr arbenigwr, 'mae'n amhosibl i chi ddweud fod y gwenwyn yn ddi-flas heb i chi fod wedi llyncu'r cynnwys.'

'Nid felly,' atebodd Dr Gerald Evans, 'does dim rhaid i chi lyncu un dim er mwyn profi'i flas.'

Wedi cwrs pellach o holi (weithiau gan yr amddiffyniad, weithiau gan y Barnwr, a hefyd gan yr erlyniad) eglurodd Dr Evans mai isafswm dogn farwol o *arsenious oxide* fyddai dau ronyn neu dri, er ei fod ef yn tueddu i gredu y byddai rhwng pedwar a chwe gronyn yn fwy tebygol.

Ar hynny, galwodd Syr Lionel ar y Dr Roche-Lynch, arbenigwr cwbl ar ei ben ei hun ym maes meddygaeth fforensig, a deugain mlynedd o brofiad ganddo'n trafod mathau gwahanol o achosion lladd trwy wenwyno. Eglurodd ef wrth y Brawdlys iddo fynd â phridd a rhannau o'r corff i'w dadansoddi yn Llundain, ac i gyfanswm y gwenwyn fod yn 6.93 gronyn. Tystiai mai dyna'r swm uchaf a welodd erioed yng nghyswllt llofruddiaeth honedig, ond iddo ganfod mwy o swm na hynny

43

mewn achosion o hunanladdiad. Barnai hefyd y gallasai John Roberts fod wedi cael mwy nag un ddogn o'r gwenwyn yn ystod deuddydd olaf ei fywyd.

Yn awr, â'r rheithgor wedi gwrando ar y dystiolaeth eithaf damniol hon, penderfynodd Edmund-Davies bwyso ar Dr Roche-Lynch ynghylch y lliw a fyddai ar stumog dyn marw ac a fyddai'n bosibl darganfod achos y lliw hwnnw. Atebodd y pathologydd mai cymharol fychan fyddai swm y lliwydd yn yr achos dan sylw. Pan ofynnodd y bargyfreithiwr ar ba ran o'r corff yr effeithir trwy wenwyno ag arsenic, eglurodd y meddyg mai ar gyhyrau'r galon, a phan ballai'r rheini y byddai'r dioddefydd wedyn yn marw.

Ar ôl i Edmund-Davies eistedd, esboniodd Syr Lionel Heald iddo ddod i ben â'r achos dros yr erlyniad a bod ei dystion oll wedi cael eu cyfle i draethu.

Roedd diwrnod maith arall o wrando caled a chofnodi di-baid yn dirwyn i ben, a dyna'r pryd y cyhoeddodd y Barnwr Ormerod ei fod yn terfynu'r gwrandawiad am y dydd ac felly'n gadael popeth hyd drannoeth.

Y TRYDYDD DIWRNOD

Y bore dilynol, a chloc y Guildhall yn Abertawe ar hanner awr wedi deg, roedd y Brawdlys wedi ymgynnull unwaith yn rhagor, a'r Barnwr Ormerod yn cerdded yn urddasol tua'i orsedd. Wedi agor y gweithrediadau, heb gyffro yn y byd cododd Cwnsler y Frenhines, Mr Herbert Edmund-Davies, a chyhoeddi mewn llais clir, 'Rwy'n galw ar Mrs Roberts.'

Distawodd pawb wrth weld Alice, ar ôl dau ddiwrnod hir yn noc y carcharor, yn cael ei thywys gan y swyddogesau a fu'n ei gwarchod. Yn y man, byddai hi'n gorfod traethu, sill am sill, mewn brwydr i amddiffyn ei bywyd ei hun yn llythrennol. Roedd yn amlwg fod y dyddiau diwethaf hynny wedi bod yn artaith iddi, ac wrth symud yn ansicr tua'r safle tystio edrychai'n flinedig a llwydaidd ond eto'n hynod o hunanfeddiannol.

Ar gais Clerc y Brawdlys, daliodd y Beibl yn ei llaw dde ac adrodd yn bwyllog ar ei ôl y llw y byddai'n mynegi'r gwir, yr holl wir a dim ond y gwir. Yn sydyn, gofynnodd ei bargyfreith-

iwr, Edmund-Davies, i'r Barnwr a fyddai ef cystal â chaniatáu i
Mrs Roberts roi'i thystiolaeth ar ei heistedd am nad oedd ei
hiechyd yn rhy dda. Craffodd y Barnwr arni am ennyd cyn ateb,
'O'r gorau, Mr Edmund-Davies, fe gaiff hi eistedd i lawr.'

Heb oedi ychwaneg, bwriodd y cwnsler i'w dasg allweddol o
arwain yr amddiffyniad.

'Mrs Alicia Roberts,' meddai, gan adael saib fel petai'n actor
ar lwyfan drama. Yna, torrodd ar ei dawelwch ei hun gyda'r
cwestiwn cignoeth, 'A wnaethoch chi ladd John Gwilym
Roberts?'

'Naddo,' atebodd Alice yn uchel a phendant.

'Oes gennych chi unrhyw syniad sut y daethpwyd i ganfod
chwynladdwr yn ei gorff?'

'Ddim o gwbwl.'

Wedi sôn am briodas y ddau ym mis Mawrth 1951, gofyn-
nodd iddi ddisgrifio cyflwr Hen Dŷ'r Ysgol yn Nhalsarnau.

'Roedd o mewn cyflwr difrifol,' atebodd hithau. 'Bu'n rhaid
imi lanhau pob man, papuro a pheintio. Mi ddois i â nifer o
bethau o'm cartre fy hun a darparu cyrtans ar gyfer y ffenestri
. . . Bu fy ngŵr yn wael am gyfnod cyn dechrau gweithio yng
ngwersyll milwrol Tonfannau ger Tywyn . . . Byddai'n rhoi imi
bob dimai o'i gyflog oedd rhwng pumpunt a chwech . . . Ar ben
gwarchod y tŷ a theulu mawr, roeddwn i hefyd yn glanhau'r
ysgol . . . yn codi tua hanner awr wedi pedwar bob bore ac yn
gorfod gweithio hyd hwyr nos.'

O'i holi a oedd ei gŵr yn garedig wrthi, atebodd, 'Roedd yn
dda iawn efo mi.' Ond yna'n sydyn dechreuodd Alice feichio
wylo gyda'i phen ynghlâdd yn ei dwylo ac aeth munud neu ddau
heibio cyn iddi lwyddo i feistroli'i theimladau.

Erbyn hyn roedd Edmund-Davies wrthi'n denu Alice i
drafod iechyd ei gŵr. Disgrifiodd hithau fel y byddai'n cael cur y
tu ôl i'w ben ac yn cyfogi'n lled fynych . . . mewn pwl o iselder
ysbryd bu'n bygwth ei ladd ei hun . . . ac ar un adeg dywedodd y
byddai'n bendant o wneud hynny petai'n gorfod gadael Tal-
sarnau.

'Wnaeth o erioed ddweud ym mha ffordd y buasai'n ei ladd ei
hunan?'

'Do—ar un achlysur yn unig.'

'Dwedwch wrth f'Arglwydd ac aelodau'r rheithgor am yr un achlysur hwnnw.'

'Ar ôl i ni briodi yn 1951, cafodd Jack waith yn Birmingham . . . a phan oedd yno, anfonais ato becyn bychan o dabledi *phenobarbitone* a photelaid o ffisig. Pan ddaeth adre'n ôl y nos cyn y Nadolig, fe ddwedodd wrthyf iddo gymryd gormod o ddogn a bod gwraig ei lety wedi methu â'i ddeffro.'

A oedd y rhod ar droi? Roedd yr awgrym y gallasai John Roberts fod wedi'i ladd ei hun yn magu nerth a fyddai'n rhoi gwedd wahanol iawn i'r holl achos. Ond eto, beth am John Hughes, Caergybi, gŵr cyntaf Alice, y codwyd ei gorff o'r bedd i'w archwilio? Yr ateb o'r cyfeiriad hwnnw oedd na ellid profi achos ei farwolaeth gydag unrhyw bendantrwydd. Am hynny, nid oedd a wnelo tranc y gŵr cyntaf un dim oll â'r cyhuddiad a wyntyllid ym Mrawdlys Abertawe. Cyn belled ag yr âi gorchwyl y llys yn Abertawe, gellid derbyn nad oedd y John Hughes hwnnw wedi bodoli erioed.

Naturiol, felly, oedd i rai o gyfreithwyr y Goron ddechrau hel meddyliau a'r rheini, bid siŵr, yn rhai gwibiog a dryslyd. Tybed pa gyfarwyddiadau roedd Alice wedi eu rhoi i'r rhai fyddai'n llywio'i hachos? Tybed, yn wir, beth oedd cred y cyfreithwyr eu hunain am a ddigwyddodd yn Hen Dŷ'r Ysgol? Y ffaith oedd na ellid byth gael ateb i'r cwestiynau hynny.

Ym myd y Gyfraith, y mae egwyddor sy'n diogelu rhai ffeithiau na chaiff pobl 'y tu allan' eu gwybod, na bod â hawl chwaith i holi yn eu cylch, chwaethach fyth gael yr atebion. Gellir dweud bod y cyflogydd a'i gyfreithiwr yn rhannu llain o dir sydd agos â bod ar ffiniau'r cysegredig, ac ystyrir unrhyw un a faidd gipio cyfrinach o'r llain honno yn euog o'r halogrwydd ffieiddiaf. Felly, yn ôl amodau eticet, roedd yr hyn a drefnwyd rhwng Alice a'i chwnsleriaid yn gyfrinach gwbl ddiogel a chaeedig.

Boed y gwir beth bynnag ydoedd, roedd yn amlwg fod Edmund-Davies wedi llwyddo i agor meddwl y rheithgor i ddau gyfeiriad: un llwybr yn tybio llofruddiaeth, a'r llwybr arall yn awgrymu hunanladdiad. Ar ôl sefydlogi'r ffaith i John Roberts ystyried ei ladd ei hunan, aeth y bargyfreithiwr rhagddo i gael Alice i ddweud mymryn am agwedd Doreen tuag ati pan ddaeth i fyw i Hen Dŷ'r Ysgol. Caed ateb lled ffafriol ganddi am Doreen, er mai cynnil fu ei geiriau. Cynnil hefyd oedd ei sylw fod gofynion rhywiol ei gŵr yn ei llethu braidd.

Pan godwyd mater dyrys y chwynladdwr, eglurodd Alice iddi'i brynu am fod ei gŵr a hithau'n awyddus i ddifa'r chwyn wrth gefn y tŷ a bod adeg gynnar felly o'r flwyddyn yn ddelfrydol ar gyfer y gwaith. Tybiai fod ei gŵr wedi taenu peth gwenwyn, er na allai ddweud iddo ddefnyddio'r tuniaid yn gyfan.

Roedd cwestiwn nesaf y cyfreithiwr yn gwbl ddi-flewyn-ar-dafod: 'Wnaethoch chi roi enw a chyfeiriad ffug gyda'r bwriad o wenwyno'ch gŵr, am y byddai rhoi manylion ffug felly'n gofalu na ddôi neb fyth i wybod?'

Daliodd y cwestiwn hwn Alice ar ungoes, ac ymddangosai mewn peth anghysur. Yn sydyn, torrodd yr argae a bu'n wylo'n hidl am rai eiliadau. Ai emosiwn naturiol gweddw hollol ddiniwed oedd y dagrau hynny, ai cyfrwystra gwraig euog yn ceisio cael ei gwynt ati? O'r diwedd, gollyngodd ei hateb trwy ochenaid laes: 'Fu yna erioed ddim byd o'r fath.'

Llaciodd y bargyfreithiwr ei afael ar y mater hwnnw ac wedi cael ar ddeall gan Alice iddi gadw'r chwynladdwr i fyny'r grisiau yn ddiogel o afael y plant aeth â hi ar drywydd patrwm brecwast y teulu. Eglurodd Alice eu bod nhw'n cael uwd i frecwast gydol yr amser.

'Ond mae eich llysfab, David Hilary, wedi tystio na chaed uwd i frecwast ond ychydig ddyddiau cyn marw eich gŵr,' dadleuodd Edmund-Davies.

'Roedd dweud hynny'n gelwyddog hollol,' mynnodd hithau.

(Am fod dwy farn gwbl groes i'w gilydd ar fater pryd y ceid uwd i frecwast—yn gyson arferol yn ôl Dick, yn gwbl ddiweddar yn ôl Hilary—gallai'r pwnc hwnnw fod yn un hanfodol bwysig i'r achos. O safbwynt yr heddlu, roedd yn anffodus na fyddai swyddog o'u mysg wedi holi'r siopau lleol i ganfod p'run ai arfer cyson ai ynteu diweddar oedd i wraig Hen Dŷ'r Ysgol brynu uwd gyda'i siopa wythnosol. Ond wedyn, o degwch ag Alice, ni ofynnodd yr heddlu iddi ym mhle, na pha mor aml, y byddai'n prynu uwd. Os oedd ei stori hi'n wir, gallasai'n hawdd fod wedi enwi'r siop ac osgoi ensyniadau annheg gan yr erlyniad. Ar y llaw arall, petai'r heddlu wedi llwyddo i brofi mai'n ddiweddar yn unig y bu hi'n prynu'r uwd, ac nid o gwbl cyn hynny, buasai ffaith felly wedi bod yn gefn cryf i'r erlyniad.)

Aeth Edmund-Davies ymlaen â'i holi, gydag Alice yn gwadu honiad ei llysfab, Hilary, mai yn y pantri yr oedd hi'n didol uwd ar blatiau'r teulu. Wedyn aeth trwy fanylion y nos a'r bore y bu farw John Roberts. Ac yna, wrth drafod anesmwythyd Alice ynglŷn ag awydd Dr Hogg am archwiliad *post mortem* ar gorff yr ymadawedig, gofynnodd a oedd hi wedi cysylltu marwolaeth ei gŵr mewn unrhyw fodd â'r chwynladdwr.

'Wnes i ddim meddwl am y chwynladdwr o gwbwl tan ar ôl deuddydd wedi marwolaeth fy ngŵr,' atebodd Alice. 'Yna fe gofiais am y tuniau gweigion i fyny'r grisiau. Roedd y chwynladdwr ar fwrdd mewn llofft wag. Doeddwn i ddim yn teimlo'n dawel am imi roi enw ffug i'r fferyllydd, ac roedd hynny'n pwyso ar fy meddwl i. Fedra i ddim cofio a oedd y tun wedi'i agor ai peidio, na chwaith os oedd rhywfaint o'r cynnwys wedi'i ddefnyddio. Mi wnes i wagio'r cyfan i lawr y toiled a thaflu'r tun dros y wal i'r Gelli.'

(Fel y datgelai Alice y ffeithiau uchod roedd cyfreithwyr yr erlyniad yn brysur yn gwneud nodiadau a thybed a oedd cwestiynau fel a ganlyn ar eu papurau? Pam yr oeddech chi'n cysylltu salwch eich gŵr â'r chwynladdwr? Pam y gwnaethoch chi gael gwared â'r cynnwys i lawr y toiled a thaflu'r tun i ddeiliach y Gelli wrth amau fod a wnelo'r gwenwyn â marwolaeth eich gŵr a chwithau'n gwybod yn iawn fod yr heddlu'n chwilota'n daer am achos ei farwolaeth? Oeddech chi ddim yn credu bod dinistrio tystiolaeth o'r fath yn llesteirio'r heddlu yn eu hymholiad? Pa reswm fyddai gennych chi dros lesteirio'r heddlu? Os oedd yn wir i'ch gŵr ddefnyddio'r chwynladdwr i'w ladd ei hun, onid eich dyletswydd eglur chi fyddai dangos i'r heddlu y tun yn y llofft, ac nid ei guddio? Ar yr adeg dyngedfennol honno, rydych chi wedi dweud i chi gofio rhoi enw a chyfeiriad ffug yn y fferyllfa

48

a bod hynny'n pwyso ar eich meddwl. Pam? A pham y rhoesoch chi fanylion ffug o gwbl?)

Ond arall oedd gwaith Edmund-Davies, sef amddiffyn ei gyflogydd, costied a gostiai. Ei amcan yn awr oedd rhoi cyfle i Alice ddisgrifio hynt pethau ar yr aelwyd ar Fawrth y 9fed, y Sul yn dilyn marwolaeth John Roberts. Eglurodd hithau ei bod hi erbyn hynny'n teimlo'n ysig, gorff a meddwl. Manteisiodd ar ei chyfle i ddilorni Doreen am fod mor ddigydymdeimlad ac annymunol tuag ati.

Yn gynharach yn y Brawdlys, onid oedd Doreen wedi rhoi rhesymau teg dros y croesdynnu ar yr aelwyd y Sul hwnnw— nad oedd crys glân ar gael i'w brawd—ac i'w llysfam ddweud wrthi hi a'r plant am fynd i'r diawl? Eto, pan oedd Alice yn awr yn cael cyfle i roi cyfrif am anghysur yr aelwyd, ni ddewisodd gyffwrdd â'r ffeithiau hynny o gwbl. Yn hytrach, aeth yn ddagreuol unwaith yn rhagor a thrwy ocheneidiau beichiog yr aeth rhagddi i'w disgrifio'i hun a Dick yn cymryd tacsi tua meddygfa Dr Hogg. 'Dywedais wrth y meddyg onid anfonai fi i Ysbyty'r Meddwl y buaswn yn rhoi diwedd arnaf fy hunan,' meddai.

Ar hynny, dechreuodd wylo'n ddilywodraeth gyda'r crio uchel yn parhau am gryn amser. Flynyddoedd ar ôl hynny, tyst-iodd rhai o'r gwrthwynebwyr mai arwydd oedd yr wylofain hwnnw i'w hamddiffynnydd ddod i ben â'i holi. Ac felly y bu.

'Mrs Roberts,' meddai Edmund-Davies. 'Dyma 'nghwest-iwn olaf i chi. Wnaethoch chi hollti'ch gwddw o achos euog-rwydd o fod wedi lladd eich gŵr?'

'Naddo. Doedd gen i ddim i'w ofni. Doedd dim angen gwneud y peth.'

'Fuoch chi ar eich elw o un ddimai goch ar ôl marwolaeth eich gŵr?'

'Naddo, ddim,' atebodd Alice mewn llais cadarn.

*   *   *

Bu swyddog o'r heddlu oedd yng ngofal yr ymchwiliadau yn gwrando'n astud a dyfal ar Alice yn rhoi'i thystiolaeth. A phetai ef yn arwain yr erlyniad, buasai wedi gweithio'r patrwm canlynol ar gyfer ei chroesholi:

Onid yw'n wir fod gennych yn awr hawl cyfreithiol i bensiwn gweddw ar farwolaeth eich gŵr? Gan hynny, onid yw dweud na fyddech ar eich elw yn anghywir?

Onid yw'n wir eich bod chi wedi codi pensiwn gweddw ers blwyddyn gron heb fod â hawl iddo? I sicrhau hynny, buoch yn gwneud datganiadau ffug am ddeuddeng mis.

Onid yw'n wir i chi roi enw ffug i'r fferyllydd, Owen Parry?

Onid yw rhestr o'r math hwn yn eich amlygu fel un anonest ac fel person sy'n abl i dwyllo?

Am fod nifer o faterion eraill â chryn ddirgelwch yn eu cylch, dylid bod wedi pwyso ar Alice am ychwaneg o oleuni ar y pethau hynny. Dyma gwestiynau y gellid bod wedi eu gofyn:

Pa reswm oedd gan David Hilary dros ddweud i chi godi'r uwd ar blatiau yn y pantri, ac nid wrth y bwrdd bwyta fel yr ydych chi'n mynnu?

Pam fod David Hilary yn dweud na chafwyd uwd i frecwast ond ers ychydig ddyddiau, ac eto rydych chi'n dal ei fod yn gyson ar y fwydlen?

Rydych chi wedi tystio ar eich llw fod cig moch ar gael i frecwast, ond nid oes neb arall, hyd yn oed eich mab chi'ch hunan, wedi sôn am gig moch. Pwy sy'n dweud y gwir? A yw pawb ohonyn nhw'n dweud celwydd?

Clywsom dystio na welwyd chwynladdwr yn y tŷ. Ar ôl prynu peth mor beryglus, onid yw'n rhyfedd na fuasech wedi rhybuddio rhywun rhag ei gyffwrdd?

Onid yw'n rhyfedd nad oes argoel o gwbl i'r chwynladdwr gael ei ddefnyddio yn unman o gwmpas yr ardd?

Pam y bu i chi wadu archebu ychwaneg o chwynladdwr yn siop Mr Williams?

Pam rhoi enw a chyfeiriad ffug yn siop Owen Parry?

Wedi i chi gael y chwynladdwr, onid yw'n rhyfedd mai yn syth ar ôl hynny y gwelwyd arwyddion o wenwyn arsenic yng nghorff eich gŵr?

Pan oedd eich gŵr yn wael yn ei wely, newidiwyd y pot am fwced. Y tro nesaf y canfuwyd y llestr hwnnw, roedd yn deilchion ym mhrysgwydd y Gelli, ac olion arsenic ar ei waelod. Sut y byddech chi'n cyfrif am beth felly?

Gan dybio fod y Twrnai Cyffredinol galluog yn siŵr o feddwl ar yr un llinellau, teimlai swyddog yr heddlu na byddai'n hir bellach cyn clywed cyhoeddi'r dyfarniad o 'euog'. A phrofi'n ogystal na bu ei lafur maith yntau'n ofer.

*   *   *

Daeth y foment i'r Twrnai Cyffredinol hwnnw ddechrau ar y croesholi hir-ddisgwyliedig. Cododd ar ei draed yn araf gan bwyntio at dun galwyn gwag oedd ymysg yr eitemau a arddangosid.

'Mrs Roberts,' meddai Syr Lionel Heald, 'edrychwch ar y tun chwynladdwr yma. Ai hwn yw'r tun a brynsoch chi ym Mhorthmadog, dod ag ef adre i'ch canlyn, ac yn y man ei daflu dros wal yr ardd i'r Gelli?'

'Ie.'

'Pam y gwnaethoch chi ei daflu o dros y wal?'

'Mi wnes i ddychryn yn ei gylch o ar y pryd.'

'Beth â'ch dychrynodd chi?'

'Roeddwn i'n meddwl y byddai a wnelo fo â rhywbeth, a minnau'n ddieuog. Dyma'i wagio fo i'r toiled. Wyddwn i ddim fod ynddo fo wenwyn marwol—dim ond ei fod o'n difa chwyn.'

Yna, treuliodd Syr Lionel beth amser yn holi Alice am y ffordd yr oedd hi wedi agor caead a chorcyn y tun. (Wrth ymwneud â'r cwnsler hwn, roedd Alice yn llawer mwy hyderus nag y buasai cyn hynny yn y Brawdlys; roedd hi'n effro i bob cwestiwn ac yn dal ei thir yn hynod abl.) Yn sydyn, gofynnodd Syr Lionel pam y sgrifennodd hi enw ffug yn siop y fferyllydd, cwestiwn a fyddai'n siŵr o bwyso ar ei gwynt.

'Roeddwn i newydd fod yn Swyddfa'r Post,' atebodd, 'ac wedi arwyddo f'enw yn fanno fel *Hughes* wrth godi pensiwn gweddw. Roeddwn i mewn poen meddwl ar y pryd.'

'Ydi o ddim yn rhyfedd na fuasech chi wedi defnyddio'r enw *Hughes* eto yn siop y fferyllydd?'

'Roeddwn i'n bur gynhyrfus ar y pryd, ac mi ddefnyddiais yr enw cynta a ddaeth i'm meddwl i.'

O'r diwedd, roedd Syr Lionel wedi'i chornelu, a phawb yn disgwyl iddo falurio'i hatebion. Ond er syndod i lawer, newid-

51

iodd ei gwrs gan ddewis trafod y tun chwynladdwr a holi ym mhle yn y tŷ yr oedd hi wedi cadw'r cynnwys peryglus.

'Mae'n rhaid eich bod yn gwybod ei fod yn wenwyn pur,' awgrymodd, 'am fod y gair POISON arno mewn llythrennau breision.'

'Na, wyddwn i ddim,' atebodd Alice. 'Welais i mo'r gair ar y tun.'

Pan soniodd amdani'n taflu'r tun arall dros y wal—tun llai, o bowdr gwenwyn—dadleuodd Alice nad oedd ganddi gof o gwbl am daflu hwnnw, dim ond iddi ddeall bod rhywun wedi canfod y tun yn y Gelli.

'Rydan ni wedi clywed tystiolaeth amdanoch chi'n prynu chwynladdwr,' cynigiodd Syr Lionel, 'ac wedi gwrthod y rhai diwenwyn a mynnu eich bod chi'n cael rhywbeth a gwenwyn ynddo fo.'

'Pan oedden ni'n trafod clirio'r chwyn,' eglurodd Alice, 'roedd fy ngŵr yn mynnu nad oedd y cynnyrch arferol yn ddigon da, ac nad oedd sodium chlorate yn effeithiol iawn. Mi ddwedodd wrtha i am gael peth a gwenwyn ynddo fo.'

'Ond fe ofynsoch chi i'r fferyllydd am arsenic.'

'Roeddwn i'n siarad efo'r fferyllydd yn Gymraeg, ond ofynnais i ddim am arsenic.'

'Mi ofynsoch am gymysgedd arsenicaidd.'

'Naddo.'

'Roeddech chi'i eisiau o i chi'ch hunan.'

'Nac oeddwn.'

'Am eich bod yn gwybod fod cymysgedd arsenicaidd yn farwol.'

'Na,' taerodd Alice.

Cyfeiriodd y Twrnai Cyffredinol at y dirywiad yn iechyd John Roberts a'i fod wedi mynd i gyfogi'n ddwys iawn, ond haerodd Alice ei bod hi wedi'i weld yn waeth lawer tro.

'Wyddwn i ddim ei fod o wedi bod yn sâl ar y ffordd i'w waith ar y dydd Mawrth. Pe gwyddwn iddo fod yn cyfogi gwaed, mi fuaswn wedi anfon am y meddyg i'w archwilio.'

Yna, trodd Alice yn ddramatig at y rheithgor, a dweud,

'Rydw i'n sicr o ofyn i'r rheithgor gredu na wyddwn i ddim iddo gyfogi gwaed.'

Erbyn hyn roedd nerfusrwydd Alice ar gychwyn y croesholi wedi llwyr ddiflannu. Ar ôl y Brawdlys, barnai rhai o swyddogion yr heddlu ei bod wedi llwyddo i fesur hyd a lled y cwnsler mawr o Lundain; nid apêl gwraig mewn anobaith oedd yno, ond osgo un yn bwrw her, ac un a allai'n hawdd lorio'i herlynydd.

Yn fuan wedyn, cyhoeddodd y Barnwr Ormerod ei bod yn amser i'r llys ddibennu ac i'r aelodau fynd am luniaeth. Ni wyddys pa ryw drafod a fu rhwng gwŷr yr erlyniad dros ginio, ond am ddau o'r gloch y pnawn pan ailgydiodd Syr Lionel yn ei dasg o groesholi, yr oedd am i Alice edrych unwaith yn rhagor ar y tun chwynladdwr, gyda'r Rhingyll Thomas Davies yn arddangos y dull o'i agor trwy dorri'r sêl fetel, dad-sgriwio'r caead a thynnu'r corcyn allan o'r gwddf.

Yr anhawster yn awr oedd fod Alice yn taeru nad hi a agorodd y tun yn Nhalsarnau. Felly, ar y naill law, os oedd hi wedi defnyddio'r cynnwys i ladd ei gŵr, roedd yn rhaid mai hi a'i hagorodd. Ar y llaw arall, os ei gŵr a'i hagorodd, byddai Alice yn gywir yn ei haeriad. Cafodd Syr Lionel hi i gytuno bod *rhywun* wedi'i agor, ond arhosai'r cwestiwn *pwy* heb ei ateb. Yna, trodd ati a dweud,

'Mae'n rhaid i mi awgrymu mai chi a'i hagorodd.'

'Rydw i'n dweud yn bendant na wnes i ddim,' mynnodd hithau.

Newidiodd Syr Lionel y trywydd unwaith eto, gan holi ynghylch cyfnewid y bwced yn lle'r pot a fu o dan y gwely. Gofynnodd i'r swyddogion arddangos y bag plastig a oedd yn cynnwys darnau o'r pot a gafwyd ymysg deiliach y Gelli cyn gofyn i Alice ai'r rheini oedd gweddillion y pot a ddefnyddid yn llofft ei chartref. Ar ôl craffu'n ofalus ar y darnau, atebodd,

'Nage ddim.'

Yn rhyfedd iawn, anwybyddodd Syr Lionel ei gwadiad a gofyn iddi egluro wrth y Barnwr ac aelodau'r rheithgor sut y daethpwyd ar draws darnau toredig y pot yn y Gelli.

'Does gen i mo'r syniad lleiaf,' atebodd hithau.

(Fel yr oedd gwaith yr erlyniad yn llusgo rhagddo, roedd swyddog yr heddlu yng ngofal yr ymchwiliad yn teimlo'n fwy-fwy digalon. Onid oedd y potyn toredig y canfuwyd arsenic yn ei waelod yn bwynt gwerthfawr yn achos yr erlyniad? Pam fod Alice yn cael taeru nad un ei llofft hi oedd hwnnw a arddangosid yn y Brawdlys? Onid y tebygrwydd oedd mai hi a'i torrodd ac yna'i daflu i'r Gelli? Pam na fyddai Syr Lionel yn ei herio ar bwyntiau mor dyngedfennol? Pam oedd yn caniatáu iddi wadu cymaint heb ei holi'n galetach, a'i gollwng o'i afael mor fynych? Ymhen amser i ddod, bu'r swyddog hwnnw'n cyfaddef mai yr achos hwn oedd ei siom fwyaf o ddigon, a hynny ar ôl deng mlynedd ar hugain a mwy yng ngwasanaeth yr heddlu.)

Yn y Brawdlys, fodd bynnag, roedd yr ymryson yn dal ar fynd, Syr Lionel yn brwydro ymlaen â'i achos trwy awgrymu wrth Alice ei bod yn awyddu am adael Talsarnau. Ond gwadu hynny a wnaeth hithau.

'Yn ystod pedair awr ar hugain olaf bywyd eich gŵr, roeddech chi gydag ef bron yn gyson.'

'Oeddwn.'

'Fe gawsoch bob cyfle i roi gwenwyn iddo petaech yn dymuno gwneud.'

'Doeddwn i ddim yn dymuno gwneud felly,' atebodd Alice dan lithro trwy'r cwestiwn.

Wrth ei holi pa fwyd a gafodd ei gŵr yn ystod ei ddiwrnod olaf, cafodd ateb manwl a maith am a roed iddo o fore'r diwrnod cynt hyd y trannoeth pan fu farw.

'Mae'n amlwg,' awgrymodd Syr Lionel, 'i'ch gŵr farw o wenwyn arsenic llym.'

'Felly rydw i'n deall,' atebodd Alice. 'Ond nid o'm hachos i.'

'Fedrwch chi awgrymu unrhyw ffordd arall y gallasai o fod wedi'i gael yn ddamweiniol?'

'Na fedraf.'

'Wyddoch chi am unrhyw reswm pam y buasai o'n rhoi peth iddo'i hunan?'

'Wn i ddim. Na.'

'Felly, mae'n rhaid ei fod o wedi'i roi iddo gan ryw fod dynol arall.'

'Dydw i ddim yn meddwl hynny. Dydw i ddim yn meddwl y byddai neb arall yn y tŷ yn gwneud un dim iddo fo.'

'Mrs Roberts—onid chi a'i rhoddodd iddo fo?'

'Yn bendant, ar fy llw, wnes i ddim,' atebodd Alice mewn llais oedd mor benderfynol ag ydoedd o apelgar.

Eisteddodd y Twrnai Cyffredinol i lawr yn teimlo, efallai, nad oedd ei groesholi wedi grymuso llawer ar achos y Goron. Ond tybed sut oedd Alice yn teimlo? Mae'n eithaf tebygol i blaendra llym cwestiwn ola'r erlynydd ei hysgwyd yn emosiynol. Mae'n eithaf tebygol hefyd i'r gollyngod ei fod wedi gorffen â hi ei hysgwyd yr un mor ddwys. Beth bynnag oedd y rheswm, aeth Alice i feichio crio dros y lle nes i'w gwarchodwraig ddod i weini arni a llwyddo i'w thawelu.

Yn y cyfamser, roedd Edmund-Davies wedi trefnu i dyst arall draethu yn y Brawdlys, sef Mr H. Lodwig Jones o Pulford ger Wrecsam, arbenigwr mewn garddwriaeth yn gweithio i Gyngor Sir y Fflint a Chyngor Swydd Gaerhirfryn cyn hynny. Dywedodd iddo ef archwilio'r tir o gwmpas Hen Dŷ'r Ysgol a chanfod ar glytiau o welltiach olion ysgafn o ryw ddefnydd ysol.

Er i Syr Lionel holi a ganfu unrhyw olion arsenic o gylch llwyn cyrains cochion yn yr ardd, ateb negyddol a gafodd gan Lodwig Jones i hynny.

Yn syth wedyn, galwodd Edmund-Davies ar J.F. Clark, dadansoddydd a gyflogid gan Ddinas Lerpwl. Tystiodd ef iddo, ganol mis Mehefin, dderbyn rhai samplau o bridd gardd Hen Dŷ'r Ysgol, ac er bod swm bychan iawn, iawn yn y cynnwys, ni fyddai'n ystyried hynny'n ddim gwahanol pe dadansoddid unrhyw briddyn arall mewn sawl rhan o'r wlad. Ond eto, pan ddadansoddwyd y swm islaw ffenestr y gegin, roedd yn debygol fod rhywun yn gyfrifol am adael arsenic yn y llecyn hwnnw. (Er i swyddog yr heddlu ddisgwyl yn awchus am groesholi ar y mater hwn, ni ddaeth dim oll o'r peth.)

Yr oedd gan Edmund-Davies un tyst ar ôl pan alwodd ar Mrs Eirlys Williams a oedd wedi byw ers chwe blynedd yn Lodge Caerffynnon, o fewn ychydig lathenni i Hen Dŷ'r Ysgol. Roedd Mrs Williams wedi gwirfoddoli i deithio cryn gant a hanner o filltiroedd a bod oddi cartref am rai dyddiau er mwyn bod yn

Abertawe i sefyll ym mhlaid ei ffrind. Tystiodd hi fod John Roberts a'i ail wraig yn gwpwl hapus, a'r plant yn cael amgenach gofal na chynt. Gwadodd Eirlys Williams honiad cynharach Doreen fod y plant yn ofnus o'u mam newydd. Mynnodd hefyd fod Alice wedi glanhau'r tŷ yn drylwyr a phapuro'r gegin ei hun.

Fel y pendronai'r Ditectif-Arolygydd ynghylch sawl ffotograff a welsai ef yn dangos cyflwr y tŷ a diffeithdra'r ardd, cododd Edmund-Davies ar ei draed a'i lais yn torri fel cyllell trwy dawelwch y Brawdlys.

'Foneddigesau a boneddigion y rheithgor,' meddai. 'Dyma'r tro olaf y byddaf yn eich annerch ynglŷn â'r achos poenus a rhyfedd hwn. O'r cychwyn cyntaf, rwy'n mynd i ymdrin â gwraidd yr achos, sef y dystiolaeth a gaed gan ferch hynaf John Roberts, Doreen . . . Ai hi yw'r math o berson y buasech yn ei choelio pan yw cymeriad Mrs Roberts, a hyd yn oed ei bywyd, yn y fantol? Felly hefyd dystiolaeth ei brawd, Hilary . . . a oedd â'i chwaer yn gefn iddo . . .

'Aelodau'r rheithgor, clywsoch dystiolaeth ei feddyg teulu yn egluro ar lw nad oedd John Roberts yn ddyn normal . . . Roedd ganddo gymhleth-afiechyd, roedd yn emosiynol ansad, weithiau'n isel ei ysbryd, bryd arall yn orlawen . . . Er iddo gwyno am flynyddoedd ynghylch teimladau od yn ei ben . . . clywsoch Doreen a Hilary yn mynnu na fu'n wael felly ers llawer o amser . . . Onid yw'n eglur i chi eu bod yn greulon o annheg tuag at y wraig hon trwy fod mor gyndyn i gytuno â hi iddo fod wedi dioddef ers blynyddoedd? Yr un un oedd patrwm ei fywyd cyn, ac ar ôl ei briodas. Fu yna ddim dirywiad sydyn yn ei iechyd . . . Er i'r heddlu chwilota a phrowla ym mhob cyfeiriad . . . chawson nhw ddim un arwydd o gwbl oll i Mr a Mrs Roberts erioed gweryla.

'Mae eich cyfrifoldeb chi fel rheithgor yn enfawr. A'ch dyletswydd yw ystyried y ffeithiau a roir i chi yn y Brawdlys hwn, a dim mwy na hynny. Rhaid i chi ddileu yn llwyr o'ch meddyliau y ffaith honno am ailgodi o'i fedd gorff a gladdwyd yn 1949 (gŵr cyntaf Alicia). Nid oes a wnelo hynny un dim oll â'r prawf hwn . . . Nac ychwaith ynghylch polisïau yswiriant ynglŷn â'r mater hwn. Does yna ddim iod o dystiolaeth fod Mrs Roberts wedi elwa'r un ddimai wedi marwolaeth ei phriod . . . Anwybyddwch hefyd fel y mae'r papurau newydd wedi tueddu i ragfarnu'r achos . . .

'Fyddech chi'n crogi cath ar dystiolaeth Doreen wrth ei chymharu â'r dystiolaeth arall? Gofiwch chi'r helynt a gododd Doreen dridiau wedi marw ei thad, pan fu'n rhaid galw'r heddlu? Oni ddaliwyd hi'n gelwyddog ynghylch digwyddiadau'r pnawn hwnnw? Ystyriwch y ffaith iddi werthu ffotograffau o'i mam a'i thad i'r wasg, o gymhellion ariannol, meddai hi. Oedd hi'n ymddangos i chi fel person mewn angen pres? . . . a beth debygwch chi am weddustra person a wnâi beth felly? Hefyd ei chyhuddiadau chwyrn yn erbyn Dr Hogg . . . am yr honiad mai yn ddiweddar y dechreuodd eu tad gael poenau stumog—ac nid ers chwe blynedd o leiaf—gellir tybio i Doreen lygru meddwl ei brawd, Hilary, yn y cyfeiriad hwnnw . . .

'Am i'r erlyniad awgrymu y gallai gofynion rhywiol ei gŵr fod yn gymhelliad i'w wraig ei lofruddio, oni allai hi yn hytrach fod wedi ymadael â'i chartref? Ni byddai'n rhaid iddi ei ladd.

'Clywsoch Dr Roche-Lynch yn tystio y gallasai'r gwenwyn fynd i'w gorff ar ddau ddiwrnod yn unig, efallai ar Fawrth y 4ydd neu'r 5ed. Y ffaith arwyddocaol yw nad oedd yna chwynladdwr yn y tŷ ar fore Mawrth y 4ydd, ac yr oedd Roberts yn sâl ar y ffordd i'w waith y bore hwnnw. Daeth y chwynladdwr i'r tŷ yn ddiweddarach yn ystod y dydd hwnnw . . .

'Ynglŷn â Dr Gerald Evans yn cymysgu'r chwynladdwr arsenicaidd i'r uwd, yn tystio wrthych am liw'r llaeth yn newid, ac iddo trwy drafferth fawr gael gwared â'r lliw . . . rwy'n awgrymu'n gryf nad gweithred gwraig yn ceisio celu'r gwir rhag neb oedd yr hyn a wnaeth Mrs Roberts . . . fe deleffoniodd y meddyg hyd yn oed i ddod draw i'w weld . . . y peth olaf a wnâi gwraig a fuasai ar berwyl o wenwyno'i gŵr . . .

'Er i'r erlyniad ddadansoddi pridd ar wyneb y tir ac awgrymu na roed chwynladdwr i'r ardd . . . eto fe gaed prawf gan arbenigwr garddwrol fod olion eiddil o arsenic mewn samplau o isbridd a godwyd oddi yno . . .

'Mae awgrym ar gerdded i Mrs Roberts brynu'r chwyn-laddwr yn ddirgel. Y gwir yw, aelodau'r rheithgor, iddi ar y tro cyntaf fynd i Benrhyndeudraeth at fferyllydd a'i hadwaenai, a'i siop heb fod mor bell â hynny o'i chartref . . .

'Pan fyddwch chi, aelodau'r rheithgor yn encilio i ystyried eich dyfarniad, rwy'n gofyn ichi gofio, nid yn unig beth oedd cyflwr ei hiechyd ond hefyd ei stad feddyliol wrth ichi drafod ei gweithredoedd . . .'

Roedd y Barnwr Ormerod fel petai'n ffroeni fod y bargyf-reithiwr ar fin ymdrin â gwedd arall ar bethau yn ei draethiad ond, am ei bod yn tynnu at ddiwedd y pnawn, penderfynodd mai doeth fyddai dirwyn gwaith y dydd i ben yn y fan honno ac ail afael yn y gweithrediadau fore trannoeth.

Y Pedwerydd Diwrnod

Roedd pennaeth Heddlu Gwynedd, y Prif Gwnstabl W. Jones-Williams, yn cael trafferth i guddio'i deimladau. Roedd wedi ffieiddio'r dull a gymerodd arweinydd yr amddiffyniad wrth drafod Doreen mor ddilornus yng ngŵydd y cyhoedd. Fel blaenor yn ei gapel yng Nghaernarfon, ceisiai ofalu bod y Cristion ynddo'n llywio'i ymwneud â rhai mewn helyntion. Fel brodor o Feirionnydd, gwyddai'n dda am bobl y sir a'u cefndir, nifer ohonyn nhw'n Gymry uniaith. Ac am y rhan fwyaf, oedd yn medru'r iaith fain yn burion, gallai'r Prif Gwnstabl ddeall mor hawdd fyddai drysu'r rheini gyda chwestiynau yn Saesneg, yn enwedig felly wrth geisio ateb bargyfreithiwr llithrig ei feddwl a'i dafod, a hynny o flaen tyrfa fawr mewn llys barn.

O'i brofiad fel swyddog yn ymdrin â dynion a merched mewn gwahanol drafferthion, gallai'n reddfol ogrwn y da oddi wrth y drwg, a'r geirwir o blith y celwyddgwn. I'r Prif Gwnstabl, geneth syml o gefn gwlad oedd Doreen, gydag ychydig o addysg gyffredin, yn swil gyda dieithriaid, ac yn cael iaith estron y llys, heb sôn am awyrgylch y lle, yn gryn ormes arni. Credai fod Doreen yn eneth onest a geirwir a bod y modd y disgrifiwyd hi o flaen y Brawdlys yn gwbl warthus.

Efallai bod rhai yn wfftio ati yn rhoi lluniau o'i theulu i'r

58

wasg, ond wedyn, peth hollol newydd iddi hi oedd cael ei themtio gan gynigion y wasg ddyddiol am daliad hael. Eto, oni thystiodd hi yn y llys fod arian yn brin, gyda llond aelwyd i'w cadw mewn bwyd a dillad? A phan ddaeth adref o Birmingham, a'i thad eisoes yn farw, pa ryfedd iddi yn siom y foment edliw i'r meddyg ei gyndynrwydd i ddod i Dalsarnau ar ôl ei alw ar y teleffon fwy nag unwaith? Ac am y cyhuddiad fod Doreen a Hilary wedi cytuno â'i gilydd i roi camdystiolaeth i'r llys, credai'r Prif Gwnstabl fod ensynio'r fath beth am y brawd a'r chwaer yn anfaddeuol.

Bu'r swyddog yn dyfalu wedyn a fyddai Syr Lionel Heald, arweinydd yr erlyniad, pan ddôi ei gyfle nesaf, yn chwalu'r honiadau a ganlyn:

(a) nad oedd chwynladdwr yn Hen Dŷ'r Ysgol cyn Mawrth y 4ydd. Onid oedd Mrs Roberts wedi prynu'r gwenwyn ym Mhenrhyndeudraeth ddiwedd Ionawr neu ddechrau Chwefror?

(b) fod Dr Gerald Evans wedi cael gwared â lliw'r gwenwyn o'r uwd drwy 'drafferth fawr'. Gair y patholegydd oedd *decant*, sef arllwys. A ystyrid arllwys yn waith a oedd yn 'drafferth fawr'?

(c) tystiodd arbenigwr garddwrol ar ran yr erlyniad ei fod yn arfer taenu chwynladdwr yn gynnar yn y gwanwyn cyn i'r chwyn egino. A oedd un arwydd o hynny mewn gardd a ddisgrifiwyd fel 'anialdir o chwyn'?

(ch) annheg oedd i'r amddiffyniad fynnu mai pridd yr wyneb a ddadansoddwyd gan yr erlyniad, ac nid yr isbridd. Mae profion wedi dangos nad yw arsenic yn llwyr hydawdd mewn dŵr. Felly, er gwaethaf cawodydd trymion, byddai rhyw gymaint wedi aros ar bridd yr wyneb.

Os medrai swyddog yr heddlu sylwi ar y fath anghysonderau, yna roedd yn amlwg y byddai cyfreithiwr o galibr Twrnai Cyffredinol yn creu chwalfa ar y pwyntiau hynny pan ddôi ei gyfle nesaf i draethu. Gyda meddyliau felly yr oedd y Prif Gwnstabl yn ei gysuro'i hun—dros dro, o leiaf.

* * *

59

Ar bedwerydd diwrnod y Brawdlys, cododd y cwnsler Edmund-Davies ar ei draed i fynd ymlaen â'r anerchiad a adawodd ar ei ganol y pnawn cynt.

'Aelodau'r rheithgor,' meddai, 'wrth gofio am weithredoedd Mrs Roberts, cofiwch ystyried ei chyflwr hi ar y pryd, yn gorfforol a meddyliol . . . Ar Fawrth y 11eg, ceisiodd Mrs Roberts roi terfyn ar ei bywyd . . . gallech ddyfalu ei fod yn addefiad o'i heuogrwydd ynghylch marwolaeth ei gŵr . . . Ar Chwefror yr 16eg, ymhell cyn marw'i gŵr, galwyd y meddyg . . . am fod cyflwr ei nerfau hi'n eithafol o ddrwg. Ar Chwefror y 25ain . . . roedd hi ar fin ymchwalu'n nerfol. Ystyrir pobl ar fin ymchwalu'n nerfol fel rhai tebygol o gymryd eu bywyd eu hunain . . . Ei gŵr yn marw ar Fawrth y 6ed . . . helynt gywilyddus yn y cartref ar Fawrth y 9fed . . . Ar Fawrth yr 11eg . . . ei mab yn mynd â hi at y meddyg . . . yntau'n trefnu lle iddi'r noson honno yn Ysbyty Dinbych . . . dau blisman yn dod a nacáu iddi ymadael nes i'r Arolygydd Roberts gyrraedd . . . Roedd y wraig a'i mab o dan yr argraff ei bod hi'n mynd i ysbyty. Yn lle hynny, aethant i Orsaf yr Heddlu.

'Aelodau'r rheithgor . . . yn enw tegwch, a ydych chi'n ystyried gweithred yr heddlu'r tro hwnnw yn enghraifft o chwarae teg? Ar ôl iddi ddweud yn gynharach yn y dydd y buasai hi'n cymryd ei bywyd ei hunan, ydych chi'n rhyfeddu o gwbl iddi geisio torri'i gwddw?

'Wrth ystyried achos y Goron yn erbyn Mrs Roberts, mae'r rhan fwyaf o'r dystiolaeth a gyflwynwyd i chi yn dystiolaeth amgylchiadol (*circumstantial evidence*). Y mae'r darn hanfodol yn yr achos hwn ar goll sef, nad oes yna ddim llygad-dyst.

'Er ei bod yn wir mai'n anfynych y ceir llygad-dystion i achosion o wenwyno, sut bynnag, nid yw hynny'n esgusodi'r erlyniad o'r ddyletswydd i brofi euogrwydd y wraig hon y tu hwnt i bob amheuaeth resymol . . . Mae hi wedi dweud yn eglur wrthych chi na wnaeth hi ddim rhoi arsenic iddo . . .

'Roedd Mr Roberts . . . yn emosiynol anwastad . . . un tro wedi ceisio'i ladd ei hun . . . a dweud y byddai'n well ganddo farw na gadael Talsarnau. Tybed na chymerodd yr arsenic ei hunan gyda rhyw amcan arall yn ei feddwl? Beth fyddai

60

amgylchiadau'r gŵr pan oedd ei wraig yn mynnu yr âi hi i ffwrdd pe deuai Doreen adre? Ai mympwy fyddai dweud i'r dyn hwn gymryd y chwynladdwr fel ymgais i ennyn cydymdeimlad ei wraig trwy fynd yn weddol wael? Dydyn ni ddim yn ymwneud â meddwl dyn normal . . .

'Rwy'n awgrymu fod Mr Roberts wedi cael cymaint o siawns i gymryd gwenwyn ag a gafodd ei wraig i roi peth iddo . . .

'Wrth ystyried y ddamcaniaeth mai ef ei hun a gymerodd y gwenwyn, mae gennych chi dystiolaeth ddiogel i gefnogi hynny . . . Ni chwynodd John Roberts erioed iddo weld dim o'i le yn ei fwyd na'i ddiod . . . onid yw'n bosibl ei fod wedi canfod yn y chwynladdwr fodd i achosi salwch a fyddai'n perswadio'i wraig i beidio â'i adael? Am ei fod yn ddyn na fyddai fyth yn petruso cyn galw'r meddyg, pam na wnaeth o hynny y tro hwn? Tybed nad oedd o'n gwybod yn rhy dda achos ei gyflwr?

'Peth annoeth iawn i chi, aelodau'r rheithgor, fyddai cael Mrs Roberts yn euog os oes gennych chi'r rhithyn lleiaf o amheuaeth ynghylch ei heuogrwydd. Bydd yn rhaid i'r erlyniad brofi ei achos a'ch bodloni y tu hwnt i bob amheuaeth resymol mai hi, o wir fwriad, a roddodd wenwyn i'w gŵr cyn i chi fedru cyhoeddi dyfarniad ei bod yn euog.

'Peth cwbl ofer fydd i chi, ymhen rhai wythnosau, ddweud wrthych eich hunain, ''Rydw i'n gobeithio bod y ddedfryd yn un iawn ac addas''.

'Rhaid i chi gollfarnu yn yr achos yma am yr unig reswm eich bod chi'n berffaith ddiogel fod y wraig hon yn euog o'r trosedd ofnadwy hwn. Yn niffyg hynny, mi wn mai eich dyletswydd a'ch pleser fydd ei gollwng yn rhydd.'

Ac eisteddodd i lawr yn dawel.

Roedd y bargyfreithiwr wedi amddiffyn yn feistraidd a chytunid i'r gwrandawyr fod wedi clywed un o'r areithiau mwyaf ysgubol a glywyd erioed mewn llys barn. Bernid iddo ddifodi'n llwyr achos yr erlyniad a bod y rheithgor wedi'i argyhoeddi fod John Roberts, naill ai wedi cyflawni hunanladdiad, neu yntau wedi'i ladd ei hun yn ddamweiniol.

Wedi clywed huodledd Mr Edmund-Davies y bore hwnnw, nid oedd fawr neb yn y Brawdlys yn credu fod Alice yn euog.

Roedd cyfreithwyr yr amddiffyn, y Mri Cledwyn Hughes a Dafydd Cwyfan Hughes, o ddewis mor ddoeth, wedi derbyn eu gwobr a pha ryfedd fod eu hyder yn fwrlwm bellach?

Ond yr oedd anerchiad yr arweinydd ar ran y Goron eto i ddod, er mai prin y dymunai neb gymryd ei le yn dilyn gwrthwynebydd mor grefftus. Eto fyth, onid Syr Lionel Heald oedd y Twrnai Cyffredinol, y swyddog cyfraith dewisedig trwy'r holl wlad? Roedd hwn yn ŵr o brofiad a gallu aruthrol, yn ymladdwr mewn llysoedd nad ofnai undyn byw. Tybed a lwyddai ef a'i ddoniau arbennig mewn dadl ac araith i ddadwneud y malurio a fu ar ei achos a denu'r rheithgor yn ôl i'w ochr a'u cael i ddedfrydu'r cyhuddiedig yn euog?

Safodd i fyny'n eofn gan fwrw i'w dasg enbydus.

'Foneddigesau a boneddigion y rheithgor,' meddai. 'Dydw i ddim yn credu fod dadleuon y cwnsler gwybodus wedi bod yn llawer o gymorth i chi . . . Mi fyddwch wedi sylwi na wnaeth o ddim ymgais i ddelio â'r ffeithiau mewn trefn resymegol fel y gwnes i. Fe'i seiliodd ei hun yn bennaf ar ystyriaethau sentimental. Yr hyn a ddywedodd wrthych mewn gwirionedd yw hyn: "Rydych chi wedi gweld Mrs Roberts yn y safle tystio, mae hi wedi gwadu'r cyhuddiad, ac y mae hynny, siawns, yn ddigon. Ydych chi mewn difri yn credu y byddai hi'n cyflawni'r math yma o beth?"

'Petai'r erlyniad wedi mabwysiadu'r un un agwedd, a derbyn ei gwadiad, fydden nhw ddim wedi trafferthu dod â'r achos o flaen y Fainc o gwbl oll . . . Fe wnaethoch chi sylwi pan oedd Mrs Roberts yn cael ei holi gan fy nghyfaill galluog, ei bod hi'n ymddwyn fel truanes ofnus. Ond pan oeddwn i yn ei chroesholi, wnaethoch chi sylwi ar y gwahaniaeth? Ar unwaith roedd hi'n dyst effro, penderfynol, heb na swildod na dim pall ar ei geiriau . . .

'Ynglŷn â'r awgrym fod yr ymadawedig wedi'i ladd ei hun: ychydig cyn ei farwolaeth, bu ym Mhwllheli gyda'i wraig yn archebu siwt newydd at y Pasg. Ai dyna'r math o beth a wnâi dyn oedd yn ystyried ei ladd ei hun trwy gymryd gwenwyn?

'Am yr awgrym y byddai dyn yn cymryd arsenic i'w wneud ei hun yn sâl rhag i'w wraig ei adael—aelodau'r rheithgor, ydi hi'n bosib y byddai undyn rhesymol yn credu'r ffasiwn ddam-caniaeth mewn difri?'

Yna wedi ymdrin â'r posibiliadau eraill a gynigid gan yr amddiffyniad, aeth Syr Lionel rhagddo at bwyntiau yn nadl y Goron yr oedd Edmund-Davies wedi dewis eu hosgoi yn ei araith derfynol. Nododd y dydd pan brynodd Mrs Roberts alwyn o chwynladdwr yn fferyllfa Owen Parry ym Mhorth-madog, a'r ateb a roddodd pan ofynnwyd iddi arwyddo'r Gofrestr Gwenwyn oedd ei bod yn rhy brysur. Faint o amser a fyddai wedi'i gymryd iddi sgrifennu 'A.M. Roberts'? Pan bwyswyd arni am ei llofnod, ysgrifennodd 'A.J. White, White House, Talsarnau' a oedd yn ffug hollol. Gyda pheth mor ddiniwed â phrynu chwynladdwr mewn gardd, pwysodd Syr Lionel ar y rheithgor i ofyn pam y gwnaeth hi beth felly?

Yna, aeth i atgoffa'r rheithgor am dybiaeth yr erlyniad fod mwy nag un rheswm dros iddi ddymuno lladd ei gŵr. Er bod yr amddiffyniad yn mynnu mai un rheswm oedd gan y Goron, sef gofynion rhywiol gorhelaeth ar ran John Roberts, nid oedd hynny'n gywir, meddai. Roedd ganddi resymau eraill dros gyf-lawni'r trosedd a fyddai'n taflu baich gofalon Hen Dŷ'r Ysgol oddi ar ei hysgwydd. Gofynnodd i'r rheithgor ystyried yr oriau meithion oedd o'i blaen yn ddyddiol, gan gofio bod arni ofal am y tŷ a theulu o naw heb sôn am ddyletswyddau'r ysgol yn ogystal. Nid oedd hi'n or-hoff o Dalsarnau, yn fwy nag o Doreen a oedd eisoes ar ei ffordd adre'n ôl. At hynny, roedd cwynfan John Roberts ynghylch ei iechyd yn fwrn arni, er nad oedd dim difrifol yn bod arno.

Daliai'r amddiffyniad ei bod agos â bod yn amhosibl rhoi arsenic mewn uwd heb i rywun sylwi ei fod yn lliwio'r cynnwys. Ond mynnodd Syr Lionel i'r Dr Gerald Evans brofi y tu hwnt i bob amheuaeth mai'r peth hawsaf yn y byd oedd arllwys hylif y lliw ymaith, ac ychwanegu llaeth arno o'r newydd. Y canlyniad oedd uwd naturiol yn ei liw arferol.

'Aelodau'r rheithgor,' meddai'r cwnsler gan fynd ati i ddwysáu'i ymresymiad, 'fe gofiwch dystiolaeth y wraig gyhuddiedig yn cyfaddef iddi roi i'r ymadawedig yng nghwrs diwrnod olaf ei fywyd, ddiodydd o frandi a soda, a llefrith mewn dŵr soda. Roedd hi ar ei phen ei hun gydag ef gydol y dydd hwnnw ac arhosodd ar ei thraed dros y noson olaf honno.

'Y mae'n eglur, felly, ei bod yn gymharol hawdd iddi ddefnyddio'r uwd fel cyfrwng i gynnwys arsenic. Ond nid uwd yn unig a ddefnyddiodd. Fe allasai hi fod wedi defnyddio'r brandi a soda, neu lefrith a soda fel cyfrwng yr un mor rhwydd i roi i'r dyn hwn ddognau o wenwyn llethol.

'Fe glywsoch hefyd y Dr Gerald Evans yn dweud fod y cymysgedd arsenicaidd hwn yn gwbl ddi-flas. Beth fyddai'n haws nag ychwanegu'r gwenwyn di-flas hwn i'r bwyd neu i'r ddiod?'

Bu Syr Lionel Heald wrthi am gryn awr yn brwydro i wrthbrofi dadleuon yr amddiffyniad. Gyda'i drylwyredd a'i brofiad fel bargyfreithiwr, bu'n bychanu ymgais ei wrthwynebydd yn hawlio bod Alice yn ddieuog. Roedd yn amlwg iddo fod wedi llafurio'n hir a dyfal ar ei anerchiad olaf ac ni allai ei feirniaid llymaf weld bai ar ei gyflwyniad.

Ond arhosai'r cwestiwn mawr eto heb ei ateb. A oedd Syr Lionel wedi gwneud digon? Os ydoedd yn wir fod Alice wedi gwenwyno'i gŵr, a oedd yr heddlu, hwythau, wedi gwneud digon i brofi hynny? Oedden nhw wedi bwnglera'r ymchwiliad? A gadael bwlch i'r amddiffyniad lithro trwyddo ac allan o'u gafael?

Fel yr eisteddai'r Twrnai Cyffredinol, roedd y Barnwr Ormerod yn byseddu trwy bentwr enfawr o nodiadau, ac ar ôl cael popeth i drefn, wynebodd y deuddeg dewisedig a fyddai cyn bo hir yn gorfod cyhoeddi'r farn derfynol.

'Aelodau'r rheithgor,' meddai, 'fy nyletswydd i yn y fan yma yw crynhoi'r dystiolaeth a roed o'ch blaen, rhag ofn, yng nghwrs y gwrandawiad maith yma, fod rhai ffeithiau wedi mynd yn angof gennych chi.'

Ar hynny, dechreuodd Alice wylo dros y lle, a ph'run a oedd hynny'n fwriad ai peidio ganddi, roedd wedi tynnu sylw'r Barnwr a fu'n syllu arni am ennyd cyn bwrw ymlaen â'r dasg o fwndelu ffeithiau dyrys yr achos.

'Fel y gwelaf i bethau,' eglurodd, 'bydd yn rhaid i chi, aelodau'r rheithgor, ateb y cwestiwn p'run ai marw ar ôl iddo fe'i hun gymryd arsenic a wnaeth John Roberts, ai ynteu a fu ef farw am i'r gyhuddiedig roi arsenic iddo gyda'r bwriad o'i ladd. Dyna'r mater sy'n eich wynebu chi . . .

'Mae'r amddiffyniad wedi honni i'r erlyniad ddibynnu i raddau pell ar dystiolaeth amgylchiadol. Mae'n wir nad oes yn yr achos hwn dystiolaeth i neb weld y gyhuddiedig yn rhoi gwenwyn i'w gŵr . . . Fodd bynnag, yr oedd tystiolaeth cyn Mawrth y 5ed, y dydd yr aeth John Gwilym Roberts yn ddifrifol wael, i'r gyhuddiedig brynu gwenwyn, swm mawr ohono, ar ddau amgylchiad. Fe gaed tystiolaeth gan yr erlyniad nad oedd y gwenwyn a brynodd wedi'i ddefnyddio yn yr ardd nac at unrhyw bwrpas arall. Ar un adeg wrth brynu swm mawr iawn o'r gwenwyn hwn, arwyddodd enw a chyfeiriad ffug. Aeth â'r gwenwyn i'w chartref a'i gadw mewn lle na welodd neb mohono. Y gyhuddiedig oedd yn paratoi'r holl brydau ac ymron bopeth a fwyteid yn y tŷ. Felly, cafodd ddigon o gyfle i roi gwenwyn i'w gŵr. Ar sail yr amgylchiadau hynny, mae'r erlyniad yn gofyn i chi ddweud mai hi a drefnodd fater y gwenwyno.

'Fe glywsoch dystiolaeth ddiwrthdro, aelodau'r rheithgor, i'r gyhuddiedig geisio cyflawni hunanladdiad. Bydd yn rhaid i chi, a chi yn unig, benderfynu beth a'i gyrrodd tuag at beth felly, p'run ai teimlad o euogrwydd yn achos marw'i gŵr, ai ynteu cyflwr nerfol a achoswyd gan orweithio a'r straen emosiynol a ddaeth arni wedyn. Mae ei gweithredoedd hi'n gyson â'r ddau beth fel ei gilydd: yn gyson ag euogrwydd, os yw hi'n euog, yn ogystal â bod yn gyson â'i chyflwr ar y pryd, os nad yw hi'n euog.'

Yn dilyn hyn, anogodd y Barnwr y rheithgor i gysidro fel yr aeth Mrs Roberts i Borthmadog y tro cyntaf a phrynu chwynladdwr. A gofynnodd i'r aelodau pam, ar ôl y pryniant hwnnw, fod arni angen prynu ail gyflenwad ar Chwefror y 26ain? A pham eto fyth y ceisiodd hi brynu trydydd cyflenwad ym Mhenrhyndeudraeth, dim ond dau ddiwrnod yn ddiweddarach?

Cyfeiriodd wedyn at Mrs Roberts, ar ôl prynu'r tuniaid chwynladdwr ym Mhorthmadog, yn mynd ag ef adref. 'Ond,' ychwanegodd y Barnwr, 'ychydig ddyddiau wedi marw John Roberts, daethpwyd o hyd i'r tun ar glwt o dir gwyllt gerllaw'r tŷ. Yn yr un man hefyd, cafwyd darnau teilchion o bot-gwely y canfuwyd arnyn nhw swm sylweddol o arsenic.'

Yna, cododd y Barnwr fater dwy dystiolaeth arall, y naill gan Owen Richard Hughes, a oedd yn fab teyrngar i'w fam, a'r llall gan David Hilary, oedd yn fab i'r ymadawedig. Hughes yn tystio i'r uwd brecwast gael ei gludo o'r pantri a'i ddidol ar blatiau yn y fan a'r lle gerbron y teulu; Hilary, ar y llaw arall, yn mynnu bod yr uwd wedi'i rannu eisoes draw yn y pantri. Ar ôl egluro felly, cyflwynodd y Barnwr y ddau bosibilrwydd i'r rheithgor fel a ganlyn:

'Os y drefn arferol oedd honno a ddisgrifiwyd gan fab y gyhuddiedig, byddai'n anodd gweld sut yr oedd y gwenwyn wedi'i gynnwys. Rhaid i chi ystyried yn ofalus iawn dystiolaeth y ddau ddyn ifanc yma—un yn fab i'w dad marw, y llall yn fab i'r fam gyhuddiedig ... Os byddwch chi'n derbyn gosodiad Hilary, roedd y cyfle yno.'

(Tybed, meddyliodd un o'r plismyn, fod yn y sylw yna awgrym cynnil?)

Yn y rhan hon o'i grynodeb daeth y Barnwr Ormerod at y cwestiwn hanfodol: p'run ai cymryd arsenic ei hun a wnaeth John Roberts, ai ynteu bod rhywun wedi'i roi iddo? Dyfynnodd dystiolaeth Dr Roche-Lynch mai 6.93 gronyn o arsenic a ganfuwyd yn ei gorff oedd y swm uchaf erioed y gwyddai ef amdano ynglŷn â llofruddiaeth honedig. Addefodd y Barnwr y byddai pennu ar y mater hwn yn dasg wirioneddol anodd i'r rheithgor—sef gorfod penderfynu a oedd Mrs Roberts wedi rhoi arsenic i'w gŵr yn amcanus fwriadol, gan achosi ei farwolaeth.

Wrth basio, cyfeiriodd at awyrgylch yr aelwyd, a dweud y tybiai ef fod y teulu'n byw yn eithaf hapus ar wahân, efallai, i'r tyndra oedd rhwng Doreen a'i llysfam.

Yna, wedi ysbaid o fodio trwy rai dalennau a chraffu ar nodiad hwnt ac yma, cododd y Barnwr ei ben i drafod achlysur prynu'r gwenwyn unwaith yn rhagor, ac meddai wrth y rheithgor,

'Rwy'n dymuno'n ogystal dynnu eich sylw at ffaith y mae'r gyhuddiedig wedi cyfaddef iddi ddigwydd, ei bod wedi gofyn am chwynladdwr ar gyfer palmant o fân gerrig. Mae yn debyg y byddwch yn pendroni pam y dywedodd nad oedd palmant o'r fath yn bod ger ei chartref. Gellwch ystyried hefyd pam yr arwyddodd hi ei henw fel ''Mrs White''. Aelodau'r rheithgor, os byddwch yn derbyn tystiolaeth y fferyllydd, Mr Parry, roedd y gyhuddiedig yn gwybod yn dda fod y chwynladdwr a werthodd ef iddi yn cynnwys arsenic. Bydd yn rhaid i chi gysidro yn ofalus iawn, iawn pam y rhoddodd iddo enw a chyfeiriad ffug . . .'

Er i ddwyblaid y cyfreithwyr yn ogystal â thyst ar ôl tyst adrodd drachefn a thrachefn wahanol bwyntiau'r achos dryslyd hwn, wrth grynhoi'r cyfan oll roedd yn rheidrwydd ar y Barnwr, yntau, grybwyll popeth, boed peth felly'n ailadroddus neu beidio. Dyna pam y cyfeiriodd eto fyth at ymgais Alice i'w lladd ei hun yng Ngorsaf yr Heddlu, gyda'r amddiffyniad ar y naill law yn mynnu nad oedd hi mewn cyflwr i'w holi, a'r Ditectif-Arolygydd Roberts ar y llaw arall yn mynnu ei bod . . . Soniodd unwaith yn rhagor am haeriadau gwahanol Richard a Hilary . . . Sheila yn esbonio fel y newidiwyd y pot-gwely am fwced . . . canfyddiadau patholegwyr a gwyddonwyr fel Dr Gerald Evans, Dr Firth a Dr Roche-Lynch . . . barn Richard Bowering nad oedd olion arsenic yn yr ardd . . . ond bod olion arsenic ar silff cwpwrdd y gegin ac yn nŵr sinc yn y cefn, oedd yn awgrymu i'r arsenic gael ei ddefnyddio yn y tŷ yn hytrach nag yn yr ardd.

Aeth y Barnwr rhagddo i ddweud bod ochr yr amddiffyniad yn mynnu bod olion arsenic—os yn egwan—mewn mannau o'r ardd, ac i'r chwynladdwr gael ei ddefnyddio at bwrpas difa tyfiant gwyllt. Cyfeiriodd hefyd at arbrofion Dr Firth, Mr Lodwig Jones a'r dadansoddydd a gyflogid gan ddinas Lerpwl . . .

'Mae'r amddiffyniad wedi beirniadu'r erlyniad,' ychwanegodd, 'am nad oes dystiolaeth o gymhelliad . . . Gall cymhelliad fod yn ddarn defnyddiol o dystiolaeth, os oes un ar gael. Eto, onid oes gymhelliad amlwg wrth law, rhaid i chi dderbyn y dystiolaeth fel y mae. Dydi'r ffaith nad oes gymhelliad amlwg ar gael ddim yn golygu fod yr erlyniad wedi methu yn eu hachos . . .

'Ac fel yna, aelodau'r rheithgor, y rhoddwyd crynodeb o'r pynciau o'ch blaen ... Os ydych yn derbyn fod arsenic wedi'i roi i John Gwilym Roberts gan ei briod gyda'r bwriad o'i ladd, bydd yn rhaid i chi ddedfrydu yn euog. Ond wedyn, os bydd gennych unrhyw amheuaeth yn eich meddwl, boed mor fychan ag y bo, mae gan Mrs Roberts hawl i elwa ar hynny, a rhaid i chi ei dedfrydu'n ddieuog. Yn awr,' meddai'r Barnwr Ormerod, 'a fyddwch chi cystal ag ymneilltuo i ystyried eich dedfryd?'

Cododd Clerc y Brawdlys i roi'r gwarchodwyr ar eu llw. Tyngodd swyddog o'r heddlu a thywysydd y Llys y bydden nhw'n arwain y rheithgor i ystafell ddiogel a hwylus, heb ganiatáu i neb siarad â nhw; ni byddent hwythau chwaith yn siarad â'r rheithgor ar wahân i ofyn a fydden nhw wedi cytuno ar eu dyfarniad. Fel yr aeth y rheithgor a'u wardeniaid o'r golwg, cododd y Barnwr a'i osgordd gan adael ystafell y llys.

Cyn gynted ag y ciliodd yr awdurdodau, dyma'r cynulliad a fu cyn hynny mor ddistaw yn ffrwydro'n fabel o fwstwr. Ymrannodd yr ystafell yn fân finteioedd gan drin a thrafod a darogan a thaeru, a'r naill ochr fel y llall yn datgan cryn hyder. Tybiai un garfan na fyddai'r rheithgor allan yn hir, tra dyfalai carfan arall y byddai aelodau'r rheithgor wedi methu cytuno, ac y gallai hynny orfodi ail brawf. Gwelai rhai bosibilrwydd apêl ar sail dedfryd anghyson â'r dystiolaeth a roed. Ofnai eraill y gallasai sylwadau'r Barnwr fod wedi gorogwyddo i gyfeiriad dadleuon yr erlyniad.

Pan ddechreuodd yr amser lusgo heibio'n anghyfforddus o faith, daeth diwedd ar ddyfaliad y rhai oedd wedi tybio y byddai'r rheithgor yn profi'r cyhuddiedig yn euog o fewn dim o dro. Fel yr âi'r munudau poenus ymlaen ac ymlaen, ceid y teimlad fod hyder yr amddiffyniad yn gloywi fwy a mwy. O bryd i'w gilydd parai treth y disgwyl i rai gael plwc o ymryson gwyllt a hyglyw, a hynny wedyn yn cael ei ddilyn gan gyfnodau o dawelwch beichus.

Ar ben awr a chwarter, cerddodd un o warchodwyr y rheithgor i ystafell y Brawdlys, ac o'i weld corddwyd yr holl gynulliad gan chwilfrydedd. Ond yn ofer. Nid dod i ddweud fod popeth drosodd yr oedd y swyddog, ond i fynegi bod y rheithgor yn dymuno cael archwilio'r tun chwynladdwr gwag a arddangosid, yn ogystal â'r tun newydd. Cludwyd y rheini ar unwaith i'w hystafell encil gan adael y cynulliad unwaith eto ar bigau'r drain.

O'r diwedd, wedi disgwyl am dair awr a thri munud a deugain, dychwelodd y rheithwyr i ganol distawrwydd oedd agos â bod yn ormesol. Daeth galwad i bawb fod yn barod i dderbyn y Barnwr Ormerod a'i gaplan a'i glerc.

Mae'n bosibl y medrai'r rhai mwyaf craff sylwi fod defnydd melfed tywyll ar y fainc o fewn hyd braich i'r Barnwr, defnydd na allai fod yn ddim llai na'r capan du a wisgid wrth iddo gyhoeddi dedfryd marwolaeth. (Yn y cyfnod hwnnw roedd crogi llofrudd yn rhan o weinyddiad cyfraith y wlad.)

Ar amnaid gan y Barnwr, cododd Clerc y Brawdlys i wynebu'r deuddeg a fu yn yr ystafell encil am yn agos i bedair awr ac meddai,

'Aelodau'r rheithgor, ydych chi wedi dewis pen-rheithiwr?'

O'u mysg, safodd gŵr ar ei draed, a gofynnodd y Clerc iddo'r cwestiwn tyngedfennol.

'Aelodau'r rheithgor, ydych chi'n gytûn ar ddyfarniad?'

Edrychodd y pen-rheithiwr yn syth i gyfeiriad Alicia Roberts, ac ateb mewn llais clir ac uchel,

'Rydym ni'n cael y carcharor yn ddieuog.'

'Ai dyna ddedfryd pob un ohonoch chi?'

'Ie.'

Cyn i'r ias oedd yn cerdded yr ystafell droi'n gynnwrf, trodd y Clerc at Alice a'i hysbysu,

'Alicia Millicent Roberts, y mae'r ail gyhuddiad yn eich erbyn—i'r hwn yr ydych wedi pledio'n euog—yn dweud i chwi ar yr unfed ar ddeg o Fawrth 1952, yn Sir Feirionnydd, geisio cyflawni hunanladdiad yn groes i'r gyfraith.'

Aeth y cyfan oll yn drech na'r carcharor a dechreuodd wylofain yn ddilywodraeth.

Cododd Syr Lionel Heald ar ei draed ac annerch y Barnwr,

'F'Arglwydd,' meddai, 'am eich bod yn llwyr gyfarwydd â'r ffeithiau ynglŷn â'r ail gyhuddiad, ni allaf wneud dim o fudd trwy siarad mwy amdano. Yma o'm blaen y mae manylion am ei hanes blaenorol hi. Nid oes unpeth ynddo na ŵyr y Brawdlys amdano, ar wahân i ddweud fod Mrs Roberts hyd hynny o gymeriad da.'

Mynegodd Mr Herbert Edmund-Davies nad oedd ganddo yntau chwaith ddim i'w ychwanegu.

Fel yr oedd ar fin ymateb, tynnwyd sylw'r Barnwr gan gyffro yn yr oriel gyhoeddus. Yno, roedd Dick, mab Mrs Roberts, wedi llewygu, gyda gweinyddwyr yn ei gludo'n anymwybodol allan o'r llys. Ar ôl i bawb ymdawelu, cyfarchodd y Barnwr Ormerod y wraig y bu'n gwrando gyhyd ar ei hachos,

'Mrs Alicia Millicent Roberts, rydych chi wedi pledio'n euog i'r cyhuddiad o geisio cyflawni hunanladdiad. Rydw i'n ymwybodol o'r llethdod yr ydych wedi bod drwyddo yng nghwrs y misoedd diwethaf yma, ac o'r ffaith eich bod wedi'ch rhyddhau o gyhuddiad difrifol iawn. Oes yna rywbeth y carech chi'i ddweud cyn i mi eich dedfrydu?'

Mynegodd hithau nad oedd ganddi ddim i'w ddweud.

'O dan yr amgylchiadau,' ychwanegodd y Barnwr, 'rydw i am eich rhyddhau yn amodol. Golyga hynny, os byddwch yn iawn-ymddwyn dros ddeuddeng mis, na chlywch chi ddim rhagor am y mater hwn. Ond, o dorri'r gyfraith yn ystod y cyfnod hwnnw, byddwch yn cael eich dwyn yn ôl i'r llys hwn i ymwneud â chi yn ôl y gyfraith.'

Gofynnodd y Clerc iddi,

'Ydych chi'n cytuno ar ymrwymiad o'r fath?'

'Ydwyf,' atebodd.

'Gollyngwch hi'n rhydd,' gorchmynnodd y Barnwr.

'Diolch i chi, f'Arglwydd,' sisialodd hithau.

Yn hytrach na cherdded o'r doc yn wraig rydd i'w llongyfarch gan rai o'i chwmpas, dewisodd Alice fynd i lawr o'r llys i ddiolch am eu caredigrwydd i'r rhai a fu'n ei gwarchod. A phan aeth i'w chell i gyrchu'i phethau, plygodd mewn ystum gweddi wrth erchwyn y gwely hirgul i ddiolch am ei gwaredigaeth. Wedi cydnabod yn ddiolchgar y cyfreithwyr a fu'n ei hamddiffyn trwy'r llysoedd, aeth hi a'i mab ffyddlon, Dick, allan drwy fynedfa ochr y Guildhall lle'r oedd cerbyd wrth law i'w cludo'n ddiogel o afael y cyhoedd.

Roedd berw rhyfeddol o gwmpas cynteddau'r Brawdlys yn Abertawe. Gwthiai gweithwyr y wasg yn awchus am bob tameidyn o newyddion, boed yn ymateb neu'n adwaith. Roedd y cyfreithiwr a'r Aelod Seneddol hirgraff, Cledwyn Hughes, wedi cyflwyno iddyn nhw ar ran Alice, ddatganiad byr o'i heiddo: *This day I am happy, but my happiness is tempered with humility.*

Bu'n hen arfer gan y Cymry eilunaddoli eu harwyr, rhai fel y pregethwr, John Williams o Frynsiencyn, y gwleidydd, David Lloyd George, y paffiwr, Tommy Farr, neu'r chwaraewr rygbi, Barry John. Diwedd y pnawn hwnnw yng Ngorffennaf 1952, wele ddau Gymro arall wedi cael buddugoliaeth fawr, y tro hwn yn arena boeth y Gyfraith. A phan gerddodd Edmund-Davies a'i gyfaill Elwyn-Jones trwy fynedfa'r Guildhall fe'u derbyniwyd gan y dyrfa y tu allan â bonllefau uchel a hir gyda'r cyfreithwyr gorchestol hynny'n codi het i gydnabod y ffasiwn frwdfrydedd.

Ond nid felly Dalsarnau. Gwta gan milltir a hanner o'r Guildhall, roedd y pentref bychan hwnnw'n dyfal ddisgwyl y canlyniad. Ers rhai dyddiau bu'r ardalwyr yn dilyn cwrs yr achos ar ddalennau'r *Liverpool Daily Post* a'r *Western Mail*. Y noson honno, roedd y cymylau'n hongian yn llaes dros y mynyddoedd a haul min hwyr yn pelydru'n isel trwy'r gwyll. Yna'n sydyn, dechreuodd clychau'r teleffon ganu hwnt ac yma ar hyd y pentref, a chyn pen dim roedd ardal gyfan wedi cael clywed sut yr aethai pethau i lawr yn Abertawe.

Fel y cerddai'r newydd o aelwyd i aelwyd, dechreuodd y trigolion ddod o'u tai gan ymgasglu'n finteioedd bychain yma ac acw ar hyd yr heol. Roedd y rhai hynaf yn cofio Jack Fawr o'i febyd yn eu mysg; yn cofio'i dad, o ran hynny—Jack Fawr arall —a fu'n llafurio ym mheryglon y chwareli cyfagos. Gallai'r to hwnnw o bobl ddwyn i gof y byddai ef (fel cymaint o weithwyr tebyg iddo) yn flin ei gyflwr wrth geisio pesychu'r llwch o'i ysgyfaint.

O ganlyniad, roedd y Jack Fawr ieuengaf wedi gorfod dysgu bod yn fwy gofalus o'i iechyd na'i dadau. Ond am honni fod Jack Fawr yn *hypochondriac*, nac oedd yn bendant. Wrth gwrs fod ganddo feichiau dwys ar ei ysbryd wrth geisio gwarchod tyaid o

71

blant bach, yn enwedig yn y cyfnod pan oedd yn dad a mam iddyn nhw. Ond Jack Fawr yn *neurotic*? Nid ar unrhyw gyfrif. Roedd awgrymu peth o'r fath yn enllib ar y marw. Os mai peth fel hyn oedd 'cyfiawnder y Sais', pa ryfedd fod y Cenedlaethol-wyr yn ubain am hunanlywodraeth?

Er bod carfan fechan o'r pentrefwyr yn cythreulio'n hyglyw wrth drafod canlyniad y Brawdlys, rhyw sefyll mewn sobrwydd distaw a wnâi'r rhan fwyaf, yn methu credu'r peth, na dweud fawr ddim ar wahân i sibrwd ambell ebwch fel 'Diar annwl' a 'Jack druan'.

Am yr ychydig ffrindiau a fu gan Alice dros ei thymor byr yn Nhalsarnau, er eu bod hwy yn llawen oherwydd y dyfarniad, er mwyn eu diogelwch personol gwyddent mai cadw'n ddistaw, onid o'r golwg, a fyddai'r peth doethaf i'w wneud. Roeddid yn bendant na fyddai croeso'n ei haros pe dychwelai Alice i'r pentref, a'r ffaith oedd na fentrodd hi fyth yn ôl i Dalsarnau wedyn.

9

Arsenic Caergybi

Mae'n rhyfedd fel y gall y gorffennol oddiweddyd y presennol. Pan yw dyn yn mynd ymlaen yn ddiofal ar ei daith, yna'n fwyaf annisgwyl gall gofalon doe ei ddal a gollwng ar draws ei lwybr domen o drafferthion o'r dyddiau a fu.

Felly'n union y digwyddodd yn hanes Alice, hithau. Ym Mrawdlys Abertawe ganol mis Gorffennaf 1952, cafodd ei gollwng yn rhydd i fynd i'w siwrnai. Ond cyn pen pythefnos, derbyniodd lythyr yn ei hatgoffa o fis Mehefin 1949. Gwŷs oedd y llythyr hwnnw yn ei gorchymyn i fod yn bresennol yn Llys Ynadon Caergybi ar 31 Gorffennaf 1952 ar gyfer cynnal cwest ar John Hughes, ei gŵr cyntaf.

Y sawl a drefnodd yr ymholiad pwysig hwnnw oedd Mr Emyr Ditton Jones, Crwner y Frenhines dros Sir Fôn. Ym mis Mai 1952, roedd ef wedi cael caniatâd y Swyddfa Gartref i ailgodi arch a chorff John Hughes o fynwent Seiriol Sant yng Nghaergybi ar gyfer archwiliad *post mortem* yn Ysbyty Stanley yn y dref. (Am fod rhai ffactorau yn 'achos Talsarnau' nad oedd a wnelont â marwolaeth John Hughes, gohiriwyd cynnal cwest llawn hyd y trefniant diweddaraf hwn.)

Eto, os oedd yr ias feinaf o amheuaeth ynghylch marwolaeth John Hughes yng Nghaergybi, dyletswydd y Crwner fyddai ymholi'n drwyadl i'r achos er mwyn dileu'r amheuon yn gyfangwbl. Ar y llaw arall, pe dyfernid bod rhywun ar fai, yna byddai'n rhaid i'r person euog wynebu'r llys lle câi gyfle i geisio gwrthbrofi'r cyhuddiad. Am fod iddo awdurdod sydd yn un gwirioneddol bwerus, mae gan Grwner hawl i drosglwyddo person i'w brofi gerbron Barnwr Brawdlys ar Gyhuddiad Crwner o lofruddiaeth, a hynny heb orfod bod yn atebol i na heddlu na neb arall chwaith.

Toc wedi naw o'r gloch fore Iau, Gorffennaf y 31ain 1952, roedd tyrfa aflonydd wedi ymgasglu o flaen mynedfa'r llys yng

Nghaergybi. Pan agorwyd y drysau, dylifodd y bobl i mewn nes llenwi'r ystafell i'r ymylon gan adael gweddill helaethaf y dorf i sefyllian y tu allan. Yng nghwrs y dydd hwnnw, roedd y fintai wedi cynyddu nes bod y strydoedd yn fyw gan chwilfrydedd a'r plismyn wrth eu gwaith yn bugeilio'r dorf.

Roedd Emyr Ditton Jones yn gyfreithiwr doeth a phrofiadol ac yn uchel ei barch ar Ynys Môn, a phan ddewisodd ddwy ddynes a deg gŵr fel rheithgor, fe wnaeth hynny hefyd gyda'i ofal arferol.

Unwaith eto, roedd wynebau cyfarwydd yn flaenllaw yn y gweithrediadau. Yn cynrychioli Prif Gwnstabl Heddlu Gwynedd yr oedd y bargyfreithiwr Mr J. Fitzgerald Marnon, a fu'n dadlau mor ddyfal yn 'achos Talsarnau' ar ran y Cyfarwyddwr Erlyniadau Cyhoeddus. Ar yr ochr arall, roedd Cledwyn Hughes, A.S., a'i bartner D. Cwyfan Hughes wedi gofalu bod y cwnsler a fu ym mhlaid yr amddiffyniad ym Mrawdlys Abertawe yn eu cynrychioli unwaith yn rhagor gyda'r achos hwn yng Nghaergybi—neb llai na Mr Elwyn-Jones, A.S. Yn union o'r tu ôl iddo eisteddai Alice a'i mab teyrngar, Dick, wrth ei hochr.

Galwodd Emyr Ditton Jones ar yr ymgymerwr angladdau, Mr Hugh Pierce Jones, i dystio ar lw mai ef oedd yn gyfrifol am drefniadau cynhebrwng John Hughes ym mis Mehefin 1949, ac iddo arolygu'r datgladdu ym mynwent Seiriol Sant ar y 1af o Fai 1952. Adnabu yntau'r arch o bren llwyfen a wnaed yn ei weithdy ef fel yr un y rhoed corff John Hughes ynddi (a'r gwaith pyg o'i mewn yn eithriadol, meddid, ac yn glod i'r crefftwr). Eglurodd iddo fethu ag adnabod y corff am ei fod wedi madru mor helaeth.

Pan ofynnodd Elwyn-Jones iddo a oedd yn wir bod y fynwent honno'n un anarferol o wlyb yn nhymor y gaeaf, atebodd yr ymgymerwr nad oedd hynny'n wir am bob rhan o'r gladdfa ond bod y llecyn y claddwyd John Hughes ynddo'n un gwlyb iawn.

Yr ail dyst oedd y meddyg teulu, Dr Edward Richard Hughes, ac ar gais y Crwner cafwyd manylion fel a ganlyn ganddo:

'. . . bûm yn gweini ar y diweddar John Hughes fel meddyg am gryn ugain mlynedd . . . bûm yn ei drin fwy nag unwaith am *bronchitis*, ac un waith gyda *pneumonia* . . . fe'i gwelais ar y dydd y bu farw neu'r diwrnod cynt . . . hyd y gwn i, ni fu John Hughes yn dioddef o ryddni nac yn cyfogi cyn marw. Nid oedd yn syndod i mi iddo farw. Nodais ar ei dystysgrif—*acute bronchitis and bronchiectasis* fel achos ei farwolaeth . . . Credaf fod achos ei farwolaeth yn un naturiol.'

Wrth ei groesholi am y moddion a roddwyd i'r claf, gofynnodd Elwyn-Jones a fu John Hughes yn cwyno gan gyfog neu ryddni. Atebodd Dr Hughes na bu felly a phe byddai mewn cam-hwyl o'r fath buasai wedi disgwyl i'r claf ddweud wrtho. O'i holi am y berthynas rhwng John Hughes a'i briod, mynegodd y meddyg iddo ef gael y berthynas yn un ardderchog, gan ychwanegu mai ei wraig a'i galwodd ef i weini ar y claf yn ei wendid olaf.

Ar ôl hyn, ategwyd y cyfan a ddywedodd y meddyg gan ei gynorthwy-ydd, Dr Olwen Denton Williams.

Er bod Dr E. R. Hughes yn enwog drwy'r ardal am ei deyrngarwch i'w gleifion a'i garedigrwydd tuag at y tlodion yn ddiarhebol, eto yn y llys, roedd un wraig ganol oed yn methu'n deg â chysoni'r hyn oedd y meddyg newydd ei ddweud am ei brawd â'r hyn a gofiai hi amdano. Daeth i'w chof fynd at y meddyg ar ran ei mam ynglŷn â chodi yswiriant ar John. (Yn naturiol, nid oedd y cwmni am fentro ar fywyd neb oedd â'i iechyd yn y fantol.) Y diwrnod hwnnw, arwyddodd y meddyg fod iechyd John Hughes yn ddiogel. Eto, yma yn y cwest, onid oedd y meddyg yn tystio bod ei brawd wedi dioddef yn barhaus o helynt y frest ac yn cael trafferthion anadlu? Er iddi'i thybio'i hun yn un bur ddi-nod o flaen pobl alluog y llys, eto fel un a wysiwyd i'r cwest, efallai y câi hithau gyfle i dystio'n wahanol am ei brawd, John, yn nes ymlaen.

Yna galwodd Ditton Jones ar Dr Edward Gerald Evans, patholegydd ymgynghorol y Swyddfa Gartref a weithiai ynglŷn â Bwrdd Ysbyty Môn ac Arfon ym Mangor. Soniodd ei fod yn bresennol adeg ailgodi arch John Hughes ym mynwent Seiriol

Sant a manylodd am y pridd a'r dŵr a godwyd fel samplau i'w rhoi yng ngofal Dr Roche-Lynch.

Gan mai prif amcan cwest y Crwner oedd canfod union achos marwolaeth John Hughes, heb ogrdroi dim mwy gofynnodd Ditton Jones i'r patholegydd beth ydoedd yr achos hwnnw. Ateb Dr Gerald Evans oedd ei fod yn hollol analluog i gynnig barn ar achos y farwolaeth oherwydd cyflwr pydredig y corff.

Pa mor gadarn bynnag oedd y dystiolaeth anuniongyrchol, roedd yn ymddangos yn eglur na ellid cyhuddo Alicia Millicent Roberts o lofruddiaeth mwyach am y rheswm na fedrid profi y tu hwnt i bob amheuaeth i John Hughes farw o wenwyn arsenic.

Ar hyn, clywyd dolef Alice yn torri'i chalon gan dynnu cryn sylw ati'i hunan. Ond o degwch â hi, gallasai'r disgrifio amrwd a fu ar bydredd corff ei gŵr fod wedi'i llethu'n hollol. Gallasai hefyd fod yn fath o ollyngdod i'w hysbryd o sylweddoli na fedrai'r Crwner nerthol fyth ei herlyn mwyach.

Wedi trafod gyda'r Dr Gerald Evans am gyflwr llaith y bedd, rhoes Ditton Jones gyfle i Elwyn-Jones groesholi'r patholegydd. Dechreuodd yntau trwy awgrymu ei bod yn amlwg fod dŵr wedi mynd i'r arch a chytunodd y gwyddonydd fod y cyfan yn waddod ar waelod yr arch.

'Wrth osod arch mewn bedd fel hyn, pa effaith a gâi hynny ar y dŵr tanddaearol?' holodd Elwyn-Jones.

'Byddai'n dueddol i amsugno'r dŵr i gyfeiriad yr arch a hefyd i'r gwacter o'i chwmpas,' meddai'r patholegydd.

'Felly ynteu,' rhesymodd Elwyn-Jones, 'byddai unrhyw arsenic yn isbridd y fynwent yn cael ei sugno i gyfeiriad yr arch ac i mewn iddi?'

'Byddai,' cytunodd y patholegydd, 'a chymryd fod yr arsenic yn hydawdd ac ar ffurf hylif. Os oedd yn hydawdd, byddai peth o'r arsenic yn troi'n hylif os dôi dŵr glaw ato. Ac fe ddôi'r dŵr yn yr arch i gyswllt â'r corff i gyd gydag amser.'

'Mae'n wybyddus,' ebe'r bargyfreithiwr, 'fod pob corff dynol yn cynnwys rhyw gymaint o arsenic. Wyddoch chi beth yw'r swm hwnnw?'

'Mae wedi'i fesur yn chwarter gronyn,' atebodd Gerald Evans.

Tro yr enwog Ddr Roche-Lynch oedd hi nesaf a thystiolaeth-odd gyda manyldra gwyddonol cwbl anhygoel. Er bod maes ei gasgliadau mathemategol yn un digon anghynnes, eto roedd ei ddawn ar gyfer casgliadau o'r fath yn destun syndod.

'Roedd dyfnder o bum modfedd o ddŵr lleidiog yn yr arch,' eglurodd Roche-Lynch. 'Yn ystod y ddwyawr y bu'r arch yn y marwdy, nid oedd dafn o ddŵr wedi gollwng ohoni. Tybir i'r dŵr fod yn yr arch ers amser maith, a'i fod wedi dod iddi, nid trwy'r pren, ond trwy'r cysylltiadau ynddi.

'Roedd samplau pridd o gylch yr arch yn cynnwys mesur o dair rhan ar ddeg o arsenic i bob miliwn o bridd. Cynhwysai'r dŵr a dynnwyd o'r pridd hwnnw .03 rhan o arsenic i'r filiwn. Felly hefyd y dŵr o dan yr arch ac o gylch ei hochrau. Roedd yr hylif o fewn yr arch yn cynnwys .83 rhan i filiwn o arsenic. Swm y dŵr yn yr arch oedd 170 peint. Gan hynny, drwodd a thro, roedd y cynnwys o *arsenic oxide* yn 80.5 miligram, neu ynteu 1.24 gronyn.

'Gan fod .03 rhan i bob miliwn yn y pridd cylchynol—a chymryd i'r cyfan oll o'r arsenic ddod i'r arch wrth i'r dŵr priddlyd dreiddio i mewn iddi—yna, i gynhyrchu'r swm arsenicaidd hwnnw oedd yn y pum modfedd o ddŵr yng ngwaelod yr arch, byddai'n rhaid i 24 cilo—neu 52.8 pwys—o bridd fod wedi dod i mewn iddi.

'Archwiliais yr ymennydd, a chanfod un rhan i bob miliwn o arsenic. Yng nghyhyr y corff, roedd yr arsenic yn 3.3 rhan i'r filiwn. Yn asgwrn y glun, 0.7 y filiwn. Ac yn yr hyn y gellid ei alw'n garthion neu gynnwys y perfedd, roedd y swm yn 10 rhan i'r filiwn.

'Yn ôl a ganfyddais, rwy'n dyfalu bod y gweddillion yn cynnwys swm anarferol o arsenic na ellir cyfrif amdano trwy halogiad o'r tu allan ar ôl y claddu. Gan hynny, rwyf o'r farn mai arsenic wedi'i roi oedd yn gyfrifol am brysuro marwolaeth yn yr achos hwn.'

Wedi gwrando ar y cyfrifiadau hynod hyn, cododd Fitzgerald Marnon ar ran y Prif Gwnstabl a gofyn i'r gwyddonydd sut y byddai'n cysoni bod y cynnwys arsenic yn y dŵr o fewn yr arch gymaint yn uwch na'r cynnwys y tu allan. Atebodd Dr Roche-

Lynch mai'r unig ateb posibl a welai ef oedd iddo ddod o'r corff wrth i hwnnw bydru. Credai hefyd fod cynnwys arsenic yn yr ymennydd, y cyhyrau a'r esgyrn ar adeg y farwolaeth yn llawer uwch nag mewn corff normal. Ond ychwanegodd na fedrai roi amcan o'r swm arsenic yn y corff am fod y pydredd mor ddwys erbyn hyn.

'Rydech chi wedi dweud i'r farwolaeth, yn eich barn chi, gael ei phrysuro am i arsenic gael ei roi iddo,' awgrymodd Fitzgerald Marnon. 'O'ch profiad maith, fedrwch chi ddweud pa mor fuan y digwyddai marwolaeth ar ôl i gymaint o arsenic gael ei roi?'

'Fe wn i am rai achosion o farw'n digwydd o fewn pedair awr,' atebodd Roche-Lynch. 'Ond gwn am eraill a gymerodd nifer o wythnosau. Yn yr achos hwn, gallasai arsenic fod wedi cael ei roi bedair awr cyn y farwolaeth, neu unrhyw bryd cyn hynny, hyd at rai wythnosau. Hyd yn oed fisoedd.'

'A yw rhyddni yn un o symptomau gwenwyno trwy arsenic?'

'Ydi, y mae o. Ac rydw i wedi dweud bod cynnwys arsenic-aidd yng ngharthion y perfedd yn 10 rhan i'r filiwn. Ond rwy'n meddwl fod y cynnwys arsenic yn y cyhyr, yr asgwrn a'r ymennydd yn llawer mwy arwyddocaol.'

'Pam hynny?' holodd Fitzgerald Marnon.

'Roedd 3.30 rhan i'r filiwn yn y cyhyrau yn gwbwl abnor-mal,' atebodd Roche-Lynch. 'Fel arfer, byddai cyhyr yn cynnwys llai na 0.1 i'r filiwn. Petai cynnwys arsenic yr hylif yn yr arch wedi dod yn gyfan oll o'r tu allan, ni fyddai hynny, yn fy marn i, yn ateb dros y dwyster o 3.30 rhan i'r filiwn oedd yn y cyhyr.'

Wedi i Fitzgerald Marnon elwa ar ffeithiau celyd Dr Roche-Lynch, daeth yn gyfle i Elwyn-Jones groesholi. Er bod y pwnc yn un trymllyd a difrifol iawn, ni ellid peidio â rhyfeddu ar yr awch oedd ar feddyliau'r ddau ddewin, y naill gyda llymder ei gwestiynau a'r llall gyda miniogrwydd ei atebion.

Cynigiodd Elwyn-Jones y gallasai'r arsenic oedd yn y pridd fod wedi hydoddi eisoes yn y lleithder a'i amsugno i'r arch. Eglurodd Roche-Lynch iddo ef ei hun seilio'i ddadl ar y ffaith y byddai'r llechfeini uwchben yr arch yn cadw lleithder felly rhag llifo iddi. Wrth gyfeirio at grefft arbenigol y saer yn selio'r arch mor ddiogel gyda phyg, honnodd Elwyn-Jones fod pyg yn cynnwys arsenic. Cyfaddefodd Roche-Lynch na wyddai ef mo hynny, ond na fyddai'n rhoi dim pwys ar ddadl o'r fath p'run bynnag am na fyddai pyg byth yn hydoddi mewn dŵr.

O ganfod y tyst yn dal ei dir mor gadarn, penderfynodd Elwyn-Jones newid cyfeiriad y croesholi ac meddai,

'Onid ydych chi'n meddwl, Dr Roche-Lynch, mai'r gwir amdani yw ein bod ni'n trafod y mater hwn mewn byd o ddyfaliadau noeth?'

'Fuaswn i ddim yn mynd mor bell â dweud hynny,' atebodd ei wrthwynebydd. 'Rydyn ni'n bendant yn ceisio ail-lunio'r hyn a ddigwyddodd dair blynedd yn ôl.'

'Yn wyneb yr adroddiad clinigol sydd gennym ni,' dadleuodd Elwyn-Jones, 'mae hwnnw'n ymddangos yn eglurhad syml, sy'n haws ei ddilyn na'r ymrafael ymenyddol yma gyda damcaniaethau.'

'Dydw i ddim yn meddwl hynny,' atebodd Roche-Lynch yn hamddenol. 'Ar wahân i gwestiwn y dŵr yn yr arch, mae'r ffigurau am y cyhyrau, yr asgwrn a'r ymennydd yn siarad drostynt eu hunain.'

'Mi fu'r rhannau yma o'r corff mewn cyswllt â'r cynnwys arsenicaidd am gyfnod, fel y dwetsoch chi, o dair blynedd,' cynigiodd Elwyn-Jones.

'Wyddom ni ddim pa mor uchel yr oedd y dŵr yn codi yn yr arch, ond roedd yr ymennydd sbel dda uwchlaw'r dŵr pan agorwyd hi,' dadleuodd Roche-Lynch.

'Fuasech chi ddim yn cytuno,' pwysodd Elwyn-Jones, 'ei bod yn debygol i'r corff i gyd fod o dan ddŵr ar adegau yng nghwrs y tair blynedd?'

'Mi fuaswn i'n derbyn fod hynny'n bosibilrwydd,' cytunodd y doctor. 'Ond fedra i ddim credu, fodd bynnag, y medrai'r cyhyr amsugno 3.3 rhan i'r filiwn o arsenic, gyda chynnwys arsenic yr hylif yn yr arch ond yn 0.83 i'r filiwn.'

Yna, fel petai wedi cyrraedd yn grwn i'r man lle dechreuodd, gosododd Elwyn-Jones ei gwestiwn terfynol fel maen clo,

'Ond fedrwch chi ddim dweud faint o'r arsenic yn yr arch oedd yn hydawdd a faint oedd ddim?'

'Na fedraf,' oedd ateb onest Dr Roche-Lynch.

Roedd cynghorwyr cyfreithiol Alicia Millicent Roberts wedi sicrhau gwasanaeth gŵr tra hynod i draethu yn y cwest yng Nghaergybi, arbenigwr byd-enwog ym maes patholeg fforensig, a darlithydd ar y pwnc hwnnw mewn ysbyty hyfforddi yn Llundain. Bu'n amlwg droeon mewn llysoedd yn barnu achosion llofruddiaeth, gan dystio'n fwy mynych na pheidio ym mhlaid yr amddiffyniad, a llwyddo sawl gwaith i chwalu ceyrydd y Goron yn garneddau. Y cawr hwnnw, neb llai na Dr Francis E. Camps, oedd y nesaf i'w holi gan Emyr Ditton Jones.

Agorodd ef ei sylwadau gan ddweud ei fod yn cytuno'n llwyr â'r Dr Gerald Evans—ei bod yn amhosibl pennu ar achos marwolaeth lle byddai'r corff wedi hir bydru. Wedyn mynegodd ei dybiaeth fod y dŵr wedi mynd i'r arch o dan y caead a bod y llaid dyfrllyd islaw wedi ymdreiddio iddi'n ogystal. Dadleuai fod y cynnwys uchel o arsenic wedi dod i'r arch o'r tu allan iddi, ac i'r arsenic anhydawdd gael ei olchi i mewn i'r cyhyrau ac aros yn rhan ohonyn nhw wrth i'r corff hwnnw fadru. Felly y barnai hefyd am gynnwys yr ymennydd, ac ni chredai fod y ffigur am asgwrn y glun fawr iawn uwch na lefel arsenic y gwaed. Yn ei farn ef, gellid priodoli holl ganfyddiadau'r patholegwyr yn syml fel llygriad yn digwydd i'r corff wrth i hwnnw ymddatod a phydru.

Pan awgrymodd Fitzgerald Marnon wrtho y gallai pethau fod yn hollol o chwith, sef mai dadelfeniad y corff oedd yn cyfrif am gynnwys uchel o arsenic yn hylif yr arch, derbyniodd Dr Camps fod hynny'n bosibl. Ond ychwanegodd ei bod yn ffaith gydnabyddedig fod arsenic yn tueddu at gadw'r corff rhag dadelfennu. Pan holwyd ef ynghylch tybiaeth Dr Roche-Lynch fod yr arsenic a roddwyd i'r corff wedi cyflymu marwolaeth John Hughes, hyn oedd ateb Dr Francis Camps,

'Fuaswn i ddim yn cynnal y ddamcaniaeth fod John Hughes wedi marw o'i wenwyno gan arsenic. O safbwynt yr archwiliad *post mortem*, ni ellid cadarnhau achos y farwolaeth. Wedi gwrando ar y ddau feddyg oedd gyda John Hughes yn ei ddyddiau olaf, roedd y salwch terfynol yn gwbl gyson â'r achos a roed ganddyn nhw ar y dystysgrif marwolaeth.'

O'i holi'n gynharach, roedd Francis Camps wedi cyfaddef nad oedd ef yn bresennol yng Nghaergybi ar adeg y datgladdu. Nid oedd chwaith wedi gweld yr arch. Ni welodd y corff. Na'r samplau cnawd ac asgwrn a ddadansoddwyd. Er nad oedd ganddo fawr ddim i weithio arno, eto i gyd tueddai i droi heibio'r ffeithiau gwyddonol-fanwl y bu Dr Roche-Lynch yn gweithio arnyn nhw fel pethau dibwys. Tybed nad oedd aelodau'r rheithgor yn casglu fod rhywbeth rhyfedd o ysgubol yng nghyfraniad y patholegydd enwog o Lundain ac iddo fod wedi dibynnu'n llwyr ar ei brofiad a'i ddawn siarad yn anad unpeth arall?

Ar ôl hynny, galwodd y Crwner ar Thomas Glyn Griffiths a oedd â fferyllfa yn 79 Stryd y Farchnad yng Nghaergybi. Soniodd Mr Griffiths am y Gofrestr Gwenwyn a gadwai ynglŷn â'i waith. Cyfeiriodd at y dyddiad, 24 Mai 1949, pan werthodd chwart o chwynladdwr i Mrs Hughes, 24 Stryd yr Orsaf, Caergybi. Ni chofiai ddim am y gwerthiant hwnnw, ar wahân i'r digwyddiad fod ar ddu a gwyn yn y llyfr cofrestru, a bod y math o chwynladdwr a werthodd iddi yn cynnwys tuag 28 y cant o hylif ocsid arsenic.

Wrth groesholi, gofynnodd Elwyn-Jones iddo,

'Oedd Mrs Hughes (erbyn hyn Mrs Roberts) yn gwsmer gyda chi?'

'Oedd,' atebodd y fferyllydd, 'roedd hi'n gwsmer ers peth amser cyn y pryniant hwn. Roedd hi'n bur adnabyddus i mi— ac i Gaergybi yn wir.'

'Wnaeth hi arwyddo'r gofrestr gyda'i henw cywir a'i chyfeiriad cywir?'

'Do, fe wnaeth,' atebodd Mr Griffiths. 'Roedd y cyfan oll yn onest ac ar yr wyneb.'

Wedi'r dadleniad uchod, galwodd y Crwner ar Hugh Edward Hughes, 52 Stryd Thomas, Caergybi, brawd y diweddar John Hughes. Tystiodd ef fod ei frawd mewn iechyd eithaf da, ar wahân i ambell bwl o'r bronceitis. Roedd wedi dioddef ar ôl ymosodiad nwy adeg y Rhyfel Byd Cyntaf. Tua phum wythnos cyn ei farw, roedd wedi dweud wrtho ei fod yn cael poenau yn ei stumog, rhyddni a phyliau o gyfogi. Dim ond un waith yn unig y clywodd ef yn cwyno fel hyn.

Yn dilyn, galwyd ar ei chwaer, Mrs Margaret Catherine Hughes, 2 Stryd Thomas, Caergybi. Tystiodd hithau am wendid brest ei diweddar frawd ac iddo tua phum wythnos cyn ei farw, gwyno wrthi am boenau stumog a rhyddni.

Cymydog a chyfeilles i'r teulu oedd y tyst nesaf, Mrs Emily Burnell, 41 Stryd yr Orsaf, Caergybi. Bu hi'n edrych am John Hughes yn ei waeledd ac er na chwynodd wrthi am boenau, dywedai ei fod yn teimlo'n sâl ond nad oedd cyfog arno.

Wrth ei chroesholi fymryn, cafodd Elwyn-Jones y sicrwydd nad oedd John Hughes wedi cyfogi tra bu Mrs Burnell wrth ei erchwyn.

Pan ddaeth tro'r Crwner i alw ar Owen Richard Hughes (sef Dick, mab Alice) dywedodd i'w dad fod yn cwyno ers amser lled faith, ond nad oedd wedi sylwi iddo ddioddef o gwbl oddi wrth na chyfog na rhyddni. Ni allai dystio iddo weld tun o chwyn-laddwr yn y tŷ, na dweud ychwaith fod neb wedi'i ddefnyddio yn yr ardd.

O'r diwedd, daeth y foment hir-ddisgwyliedig, gydag Emyr Ditton Jones yn galw, 'Mrs Roberts, ddowch chi ymlaen, os gwelwch yn dda?' Dyna'r adeg yr oedd pennau yn yr oriel yn ymestyn i weld sut olwg oedd ar wraig 'Jack Boston' ar ôl ei phrofi mor llym yn ystod y misoedd a aeth heibio.

Safodd hithau o flaen yr awdurdodau yn gwbl hunanfeddian-nol gan adrodd y llw mewn llais clir ac uchel. Fe'i cyflwynodd ei hun fel Alicia Millicent Roberts cyn mynd rhagddi i ateb drosti'i hun.

Wrth dystio o flaen y Crwner, dywedodd Alice iddi briodi John Hughes ar 13 Rhagfyr 1923 ac iddyn nhw fyw yn 24 Stryd yr Orsaf yng Nghaergybi. Soniodd am waith ei gŵr fel gof, am ei iechyd ac ambell salwch oherwydd cyflwr ei frest a waethygodd wrth iddo heneiddio cyn marw yn 56 mlwydd oed. Disgrifiodd ddyddiau olaf ei wendid, gyda'r Dr Olwen Williams yn dod i'w drin am fod ei frest a'i beswch yn bur ddrwg.

'Yn yr adeg rhwng Mai y 24ain ac amser ei farwolaeth,' eglur-odd Alice, 'ni chwynodd fy ngŵr un waith oherwydd poen. Yn ystod y cyfnod hwnnw, ni fu'n cyfogi o gwbl na chael yr un pwl o ryddni.'

Ar hynny, torrodd y Crwner ar draws i ddweud ei fod bellach yn bwriadu ei holi ynghylch prynu chwynladdwr gwenwynig a barnai mai doeth fyddai ei rhybuddio rhag ofn iddi, wrth ateb, ei rhoi'i hun yn agored i gael ei chyhuddo o weithred droseddol.

Cododd Elwyn-Jones yn syth ar ei draed a chyhoeddi wrth yr eisteddiad: 'Rwyf wedi trafod y mater hwn gyda Mrs Roberts ac y mae hi wedi cyfleu i mi ei bod yn dymuno ateb unrhyw gwestiwn a ofynnir iddi.'

Ar ôl ei rhybuddio felly, holodd y Crwner hi ynghylch prynu'r chwynladdwr ar 26 Mai 1949, ac am arwyddo'r Gofrestr Gwenwyn cyn gofyn beth a wnaeth hi â'r cynnwys.

'Ychydig ddyddiau ar ôl prynu'r tuniaid,' eglurodd Alice, 'dyma gymysgu'r cwbl ohono fo mewn bwcedaid o ddŵr yn y pantri. Wedyn, mi wnes dyllau yng ngwaelod hen dun gwag, a diferu'r chwynladdwr am ben y planhigyn oedd â blodyn gwyn arno fo, am ei fod o'n tagu'r llwyn prifed. Mi wnes hynny yn yr ardd ffrynt a'r cefn . . . Ar ôl gorffen mi deflais y tun a'r un tyllog i'r gasgen ludw . . . Hyd y gwn i, ni wyddai neb arall ddim am fodolaeth y tun.'

Pan roes Alice yr atebion uchod, trosglwyddodd y Crwner y tyst i'w chroesholi gan Fitzgerald Marnon. Ar ei gais yntau, aeth hi ymlaen i ddisgrifio dyddiau olaf salwch ei gŵr . . . Mai y 24ain, pan alwodd y meddyg, ac ar y 25ain, o sylweddoli ei fod yn gwaethygu, roedd hi'n fawr ei phryder amdano.

Dilynodd Fitzgerald Marnon â'r cwestiwn, 'Wrth sylweddoli'r diwrnod hwnnw, sef Mai y 26ain, fod eich gŵr yn ddifrifol wael, beth a barodd i chi feddwl am chwyn yn llwyni'r ardd?'

Roedd gan Alice ateb parod, 'Roeddwn i wedi bod wrthi ers wythnosau efo'r chwyn yn yr ardd. Yr hyn oedd yn fy mhoeni i fwyaf oedd y peth oedd yn tagu'r coed bach. Blodyn gwyn ar siâp cloch ydi o. Mae o'n clymu ei hun am frigyn, ac y mae ganddo flodyn gwyn.'

Pa un a fwriadai hi hynny ai peidio, ond bu manylu mor gelfydd am blanhigyn clych-y-perthi yn ddigon i daflu'r holwr oddi ar y trywydd. Aeth Fitzgerald Marnon ymlaen i gyfeiriad arall, a gofyn a welodd hi'r enw *POISON* ar y tun. Atebodd hithau nad oedd wedi sylwi arno o gwbl nac wedi darllen unpeth oll arno.

Ac yn swta felly y daethpwyd i ben â'i chroesholi.

(Wrth drafod ymysg ei gilydd ar ôl hynny, barnai rhai o awdurdodau'r heddlu fod y croesholi a wnaed ar eu rhan wedi bod yn bur dila, gyda'r tyst yn cael y llaw uchaf bob gafael. Pam na fyddid wedi trafod ei phriodas stormus a yrrodd y gŵr o'i gartref ar fwy nag un achlysur? Os oedd hi yn honni na ddarllenodd unrhyw gyfarwyddyd ar y tun chwynladdwr, sut y llwyddodd i'w gymysgu mor effeithiol wrth drin y chwyn?)

Fel petai am roi halen ar y briw, safodd Elwyn-Jones a gofyn yn blaen i Alice a oedd hi erioed wedi rhoi arsenic i John Hughes.

'Naddo'n bendant,' atebodd hithau. 'Faswn i ddim isio gwneud, syr.'

'Sut oedd pethau rhyngoch chi'ch dau ar y pryd?'

Nid atebodd Alice y cwestiwn yn uniongyrchol, ond dewisodd roi math o deyrnged derfynol i'w phriod: 'Roedd o'n fwya caredig a hael, ac yn un o'r gwŷr gorau.'

Dewisodd Elwyn-Jones, yntau hefyd, adael pethau i fod yn y fan honno, gan hyderu y byddai'r rheithgor yn myfyrio, efallai, ar glodydd gweddw i'w hannwyl briod.

Erbyn hynny, nid oedd dim yn aros ond i'r Crwner grynhoi'r cyfan, ac wrth wneud hynny, cafodd aelodau'r rheithgor siars bendant i anwybyddu popeth yr oeddent wedi'i ddarllen neu ei glywed am yr helynt cyn dod i'r llys.

'Does yma neb ar brawf o'ch blaen chi heddiw,' ychwanegodd. 'Ac unig ddiben y trengholiad hwn yw canfod achos marwolaeth John Hughes, ac nid un dim arall.'

Nododd y ddwy farn wahanol a fynegwyd yn y cwest: y Dr Roche-Lynch yn tybio fod yr arsenic wedi'i roi, a bod hynny wedi prysuro marwolaeth John Hughes. A'r Dr Francis Camps yn anghytuno â chasgliadau'r ddau batholegydd (Roche-Lynch a Gerald Evans) gan fynnu ei bod yn amhosibl dweud fod arsenic wedi bod yn achos marwolaeth John Hughes na'i fod ychwaith wedi prysuro'i ddiwedd.

Yn ôl ei enw da, bu Emyr Ditton Jones yn gryno, yn eglur ac

84

yn hollol deg o'r ddeutu cyn gyrru aelodau'r rheithgor o'r neilltu i bwyso a mesur yr hyn a glywyd yn ystod y dydd.

Bu'r rheithgor mewn encil am gwta ddeugain munud, a phan alwodd y Crwner am eu penderfyniad, atebwyd ar ran yr aelodau gan y prif-reithiwr, Mr Robert Jackson.

'Mae'r rheithgor yn canfod i farwolaeth y diweddar John Hughes gael ei brysuro gan wenwyn arsenic, ond yn methu â dweud pa sut yr aeth y gwenwyn i'w gorff.'

'Gan hynny,' meddai'r Crwner, 'byddaf yn cofnodi dyfarniad i John Hughes farw ar 6 Mehefin 1949 yn Stryd yr Orsaf, Caergybi, i'w farwolaeth gael ei phrysuro trwy wenwyn arsenic, ond nad oes dystiolaeth i ddangos pa sut y daeth i fod yn ei gorff. Mewn gair, dyfarniad agored.'

Ac felly y daeth y trengholiad i ben.

Yn fuan wedyn, trefnodd ei chynghorwyr cyfreithiol i Alice gyhoeddi datganiad i'r wasg, wedi'i eirio fel a ganlyn: 'Mae fy nghalon a'm cydwybod yn lân o unrhyw beth a all fod ym meddwl pobl. Y mae un ffaith y byddaf yn wastad yn sicr ohoni, sef imi garu John Hughes o'r dydd y cwrddais ag ef hyd y dydd y bu farw. Ar ôl hynny, fe gerais y cof amdano lawn cymaint.'

10

Ergyd Porthmadog

Wedi treulio diwrnod trymllyd yn y cwest yng Nghaergybi, aeth Alice yn ôl tua'r gwesty a dringo i'w hystafell oedd ar yr ail lawr uwchben prif stryd siopau'r dref. Gyda'r hwyr, agorodd y ffenestr ac edrych allan. Pan ymgasglodd criw o bobl islaw, dechreuodd chwifio'i dwylo dan gyhoeddi'n hyglyw a heriol ei bod hi'n hollol ddi-fai. Am fod y fintai'n un gymysg, cafodd ei chymeradwyo gan rai a'i hwtian gan y gweddill.

Yn naturiol, roedd arddangosfa o'r fath yn peri anghysur mawr i berchen y gwesty. Rhai dyddiau ynghynt, pan oedd ef yn ddiarwybod yn trefnu ystafelloedd ar gyfer mam a'i mab oedd i aros yno, nid oedd gŵr y lletty wedi sylweddoli pwy oedd ei westeion. Ond pan ddeallodd yn amgenach, pwysodd ar y ddau i chwilio am le arall. Ar ôl peth ymgyndynnu, fe lwyddodd yn ei gais trwy osod ar rent i Alice a'i theulu garafán wag o'i eiddo ar gwr y Cob rhwng y Fali a Chaergybi.

Ar un olwg, roedd gan Alice bob hawl i daflu her i ddannedd y cyhoedd a feiddiai feddwl yn wahanol amdani. Onid oedd llys-oedd Abertawe a Chaergybi wedi'i rhyddhau o grafangau'r sef-ydliad, o unigrwydd carchar ac o arswyd ysol y crocbren? A phe mentrai undyn awgrymu iddi lofruddio'i dau ŵr, byddai'r gyfraith yn sefyll o'i phlaid trwy fygwth cosb am athrodi ac enllibio.

Ond ar olwg arall, beth ellid ei wneud ynghylch y bobl oedd yn mân siarad ac yn isel-sibrwd amdani? Hen ffrindiau yn troi cefn arni, y lliaws yn ei hanwybyddu, a rhai yn defnyddio'r diawlineb hwnnw o anfon ati lythyrau dienw. Prin fod cyfraith yn y wlad a fyddai'n abl i ddelio â'r wedd dywyll honno ar y natur ddynol.

Y diwedd fu i Alice benderfynu gwerthu stori ei bywyd i un o'r papurau Sul oedd yn arbenigo yn y math hwnnw o newydd-iaduriaeth. Yn awr, gellid dweud nad oedd noethlymuno'i hanes personol yng ngŵydd y byd yn cydweddu o gwbl â chymeriad Alice. Yn ei hanfod, gwraig yn cadw iddi'i hunan oedd hi, yn cymryd popeth i mewn ond yn bur wyliadwrus rhag siarad gormod.

Eto, yr oedd gwedd arall ar gymhlethdod ei chymeriad. Roedd hi'n medru siarad yn iawn os byddai'n dewis gwneud, dim ond fod y siarad hwnnw'n rhyfedd o ddirgelaidd. Ni fynegwyd erioed hyd yn awr i Alice fod wrthi'n cario straeon i'r heddlu. Yn ystod ei chyfnod yng Nghaergybi y bu hynny, yn syth ar ôl yr Ail Ryfel Byd. Am reswm cudd, roedd hi wedi dewis dau Dditectif-Gwnstabl ifanc fel rhai y byddai hi'n mentro'i chyfrinachau iddyn nhw.

Blynyddoedd o brinder mawr oedd y rheini pan oedd dogni ar fwyd a dillad a gofyn am gwponau'r llywodraeth cyn y gellid prynu'r naill na'r llall. Dyna hefyd oedd hanes defnyddiau ymbincio a hosanau neilon i ferched. Ond mewn sawl warws yn nociau Caergybi, roedd cyflawnder o nwyddau felly'n aros eu tro i'w cyrchu tuag Iwerddon. Pan ddôi'r nos i'r harbwr, medrai rhai o lafurwyr y dociau ddirgel-gipio ambell becyn o'r trysorau prinion hynny a'u gwerthu'n ddistaw o law i law. Ac felly, o dipyn i beth y datblygodd y farchnad ddu yn nhrigfannau'r porthladd, marchnad a allai ar brydiau fod mor beryglus â'r Maffia.

Trwy ei chyswllt cyfeillgar â staff rheilffordd yr harbwr, gwyddai Alice yn burion beth oedd yn digwydd o ddydd i ddydd. Ac yn arbennig o nos i nos. O bryd i'w gilydd gallai cweryl ddigwydd rhwng Alice ac ambell un o'r gweithwyr, a dyna'r adeg y byddai hithau'n medru talu'n ôl. Ond yn llechwraidd y digwyddai hynny, am mai dyna'r union bryd yr âi hi at y naill dditectif neu'r llall i fradychu rhyw droseddwr neu'i gilydd. Cyn pen ychydig ddyddiau, fe gâi hithau ddarllen yn y papur lleol am y cosbi a fu ar hwnnw yn llys y dref.

Roeddwn i yn un o'r ddau dditectif hynny y bu Alice yn achwyn mor faleisus wrthym am ddrwgweithred hwn ac arall. Fodd bynnag, dysgasom gan bwyll fod angen gogrwn ei straeon gyda'r gofal llwyraf cyn mentro i feysydd amheus trigolion y dociau. Ysywaeth, bu farw fy nghyfaill o dditectif yn ieuanc iawn, ymhell cyn i Alice ei hun ymfaglu yn rhwydau'r gyfraith. Ond yr wyf i'n falch iawn o feddwl na fu gennyf ran na chyfran mewn archwilio i hanes marwolaeth y ddau ŵr a fu iddi.

Faint bynnag o gysur a gafodd Alice o ddarllen yn y papurau lleol am gosbi ambell un o ladron Caergybi, cyn pen ychydig yr eironi oedd i'w henw hithau gael ei daenu'n dew ac yn denau yng ngholofnau'r wlad benbwygilydd. Ond cyn bo hir wedyn, dyma'r wraig oedd wedi arfer bod mor encilgar a dirgelaidd yn dewis agor ei chalon i wasg Prydain gyfan. Cyhoeddodd hanes ei bywyd i'r byd mawr ei ddarllen, a hynny o'i gwirfodd.

Pam y gwnaeth hi beth felly?

Gellir derbyn fod y tâl ariannol (a fyddai'n eithaf swm hyd yn oed yn y dyddiau hynny) yn demtasiwn gref i wraig na wybu lawer am gyfoeth cyn hynny. Gellir cynnig hefyd y byddai'r stori yn gyfle iddi fwrw ergydion at yr heddlu a'r sefydliad, heb sôn am fod yn gyfrwng i roi taw ar y rhai tafotrydd. Ond efallai bod rheswm dyfnach o dan y cyfan, sef cael adrodd wrth y cyhoedd brofiad gwraig hollol ddiniwed a gafodd ei chamfarnu a'i chadw yng ngharchar dros gyfnodau maith, a hynny am drosedd nas cyflawnodd.

Haerai'r papur Sul a brynodd ei stori 'na fu yng nghofnodion cyfiawnder troseddol' unpeth i'w gymharu â'r 'artaith ddifrifol' a ddioddefodd Alicia Millicent Roberts. Cwynai hithau'n chwerw am y rhai a gyfeiriai ati fel un a wenwynodd ddau ŵr, gan gloi pennod olaf ei hanes â'r frawddeg: *They have condemned me to a living death as an outcast. May God forgive them.*

Serch ei phledio taer trwy golofnau'r wasg, eto gwyddai Alice yn nwfn ei bod nad oedd ei thrafferthion wedi llwyr ddiflannu a bod doe ei bywyd yn medru bod yn bryfoclyd o ddiollwng. Dolur poenydiol yw gorffennol sy'n gwrthod gorffen.

(Un enghraifft o beth felly oedd dydd Mawrth y 4ydd o Fawrth 1952, pan aeth Mrs Roberts i dre Porthmadog a chodi arian cymorth yn Swyddfa'r Post o dan yr enw 'Alicia Hughes'. Ac yna prynu chwynladdwr yn fferyllfa Owen Parry o dan yr enw 'Mrs A.J. White'. Ym Mrawdlys Abertawe ym mis Gorffennaf, taflwyd mis Mawrth yn ôl i'w hwyneb pan ofynnodd Syr Lionel Heald iddi roi cyfrif am ei hymddygiad rhyfedd. Wrth geisio dod o'r gornel gyfyng honno a rhoi math o ateb i'r cwnsler, gwnaeth Alice addefiad oedd yn ddamniol i'w chymeriad hi'i hun. Y rheswm dros iddi roi'r enw ffug 'Mrs White', meddai hi, oedd ei bod yn teimlo'n euog ddryslyd ar ôl bod yn Swyddfa'r Post yn codi'i phensiwn fel gwraig weddw. Ond yr oedd Alice wedi priodi ei hail ŵr ers blwyddyn cyn hynny.)

Un bore, ar ôl sbel wedyn, derbyniodd Alice lythyr oddi wrth y Weinyddiaeth Yswiriant Gwladol yn ei gwysio i ymddangos yn llys ynadon Porthmadog ar 12 Medi 1952. Cyrhaeddodd hithau'r dref yn y diwyg o ddu a llwyd a wisgodd ym Mrawdlys Abertawe (fel yn y cwest yng Nghaergybi)—dillad oedd eisoes wedi dod â lwc iddi yn ôl tyb rhai.

Roedd tyrfa helaeth wedi ymgasglu o gylch y fynedfa, yn awyddus i gael cip ar y wraig y bu cymaint o sôn amdani yn llysoedd diweddar y wlad. Anelodd hithau i gyfeiriad y llys yn sionc a hynod galonnog, a phan heidiodd teulu'r wasg a'r camerâu o'i chwmpas, ymatebodd iddyn nhw gyda'r sylw: 'Beth bynnag fydd yn digwydd i mi heddiw, mi fedra i dderbyn yr ergyd o dan gliced fy ngên!'

Mae'n debyg fod chwilfrydedd y dyddiau wedi dal ar yr ynadon hefyd am i naw ohonyn nhw—nifer pur anarferol—ddod i eistedd ar y Fainc, yn eu mysg y Fonesig Megan Lloyd George a fu mor amlwg fel Aelod Seneddol, heb anghofio, wrth gwrs, y Cadeirydd, Mrs Dilys Hughes.

Am yr honnid i Alice fod wedi codi pensiwn gweddw am gyfnod o ddeuddeng mis a mwy, golygai hynny fod dros hanner cant o gyhuddiadau wythnosol yn ei herbyn. Felly, rhag pen-tyrru cynifer â hynny o wysion (heb sôn am osod treth ar amser ac ar bapur) cywasgwyd y cyfan i ddau gyhuddiad, sef y tro cyntaf ynghyd â'r tro olaf iddi godi'r arian. Am y niferoedd oedd rhwng y cyntaf a'r olaf, cyfrifid y codiadau arian hynny (yn ôl arfer y gyfraith) ymysg y 'troseddau eraill i'w hystyried' pe ceid y cyhuddiedig yn euog.

Wedi i glerc y llys, Mr W.O. Robyns, ddarllen y ddau gyhuddiad, gofynnodd a oedd hi'n pledio'n euog ai peidio. Atebodd hithau ei bod yn euog. Aeth y clerc rhagddo i nodi bod hanner cant ac un arall o droseddau cyffelyb wedi eu cyflawni, a gofynnodd i Mrs Roberts a oedd hi'n dymuno i'r llys ystyried y rheini ar yr un pryd.

'Rydw i'n cyfaddef y cyfan ohonyn nhw,' atebodd hithau.

Yna, cododd Mr R.J. Thoyle, oedd wedi dod o swyddfa'r Weinyddiaeth yn Llundain, i osod yr achos gerbron yr ustusiaid. Ond am fod y diffynnydd eisoes wedi pledio'n euog penderfynodd y swyddog y byddai crynodeb o'i sylwadau yn ateb yr un diben. Cyfeiriodd at y dyddiad 6 Mehefin 1949, pan fu farw John Hughes yn Stryd yr Orsaf, Caergybi. O hynny ymlaen, byddai gan Alicia Millicent Hughes (fel yr oedd hi bryd hynny) hawl i dderbyn pensiwn gweddw gan y Wladwriaeth o £2. 2. 6. yr wythnos.

Wrth iddi briodi John Gwilym Roberts, Talsarnau, ar y 3ydd o Fawrth 1951, gwnaed yn gwbl eglur iddi, am nad oedd yn weddw mwyach, y byddai'n torri'r gyfraith pe daliai i hawlio neu i godi'r tâl pensiwn arall. Ond, am hanner cant a thair o wythnosau, roedd hi wedi llwyddo i godi cyfanswm o £112. 2. 6. trwy dwyll.

Ar ôl gwrando ar Mr Thoyle yn cyflwyno'r manylion, aeth yr ynadon o'r neilltu i drafod yr achos. Pan ddaeth aelodau'r fainc yn ôl, safodd Alice ar ei thraed i glywed y canlyniad. Mewn byr eiriau, dywedodd y Cadeirydd, Mrs Dilys Hughes, wrthi fod yr ynadon wedi ystyried ei gweithredoedd gyda difrifwch mawr. Roedd hi o fwriad unswydd wedi bod yn twyllo'r Canghellor dros gyfnod o ddeuddeng mis a theimlai'r ustusiaid fod yn rhaid iddyn nhw ei chosbi'n llym.

'Ar y naill gyhuddiad a'r llall,' meddai'r Cadeirydd, 'byddwch yn mynd i garchar am dri mis, gyda'r ddwy ddedfryd yn cydredeg.'

Roedd ynadon Porthmadog wedi bwrw'u hergyd yn galed.

Cipiwyd Alice o'r llys gan blismones a'i hebrwng i garchar Strangeways, Manceinion lle buasai hi cyn hynny'n cael ei chadw am rai wythnosau.

Y tro hwn, byddai'r cadw yn un llawer meithach.

11

Dinas Noddfa

Yn unol â'i hymffrost wrth griw y wasg fore'r llys ym Mhorth-madog, bu'n rhaid i Alice dderbyn ergyd yr ynadon yn deg 'o dan glicied ei gên', ergyd a'i bwriodd i bensynnu yn un o gell-oedd carchar Strangeways. Ond ar ôl rhai misoedd mewn lle felly, daeth yr awr iddi adael ei chaethiwed a cherdded allan unwaith yn rhagor i ymrafael â'r byd mawr y tu allan.

Dychwelodd i dawelwch y garafán mewn llecyn na allai'r cyhoedd ei gweld yn hawdd am ei bod y tu cefn i wal uchel Cob y rheilffordd rhwng Caergybi a phentre'r Fali. Eto, roedd hi'n gwybod yn iawn fod pethau'n newid er ei gwaethaf. Ar ôl dod yn rhydd o Frawdlys Abertawe, ac wedyn yn groeniach o'r cwest yng Nghaergybi, petai unrhyw un bryd hynny'n ei difrïo, gallai Alice droi arno'n ffrom a chyda llawn hyder.

Ond daeth tro ar fyd.

Bellach, os galwai rhywun hi'n dwyllwr ac edliw iddi dymor ei charchariad, ni fedrai na gwadu na dadlau ynghylch mater felly. Yn naturiol, roedd hynny'n ei dolurio'n ddwys. Roedd ymdeimlo â surni hen gydnabod a gorfod byw ymysg rhai oedd wedi cefnu arni yn graddol droi'n uffern yn ei phrofiad, ac o dipyn i beth aeth i deimlo na fedrai ddal llawer mwy o'r cnofeydd beunyddiol hynny.

O'r diwedd, penderfynodd adael y fro a dechrau o'r newydd mewn cymdeithas na wyddai ddim oll am ei gorffennol helbul-us. Yn ystod helyntion Talsarnau, roedd hi wedi ystyried ymfudo i Awstralia, a bu'n trafod y bwriad gyda Dr Hogg ym Mhenrhyndeudraeth. Ond erbyn hyn, gyda chraith twyllwraig ar ei chymeriad, prin yr agorid drws i dderbyn estron o'i bath i'r wlad ben-draw-byd honno.

Wrth bendroni ym mhle ym Mhrydain, ynteu, y gallai hi ymguddio heb i neb ei hadnabod, aeth ei meddwl yn ôl i'r cyfnod pan oedd hi a 'Jack Boston' yn byw mewn honglaid o dŷ yn ardal y Bont-ddu yng Nghaergybi—cyn iddyn nhw gartrefu'n ddiweddarach yn Stryd yr Orsaf.

Hwnnw oedd y cyfnod y bu Alice yn cadw llety ar gyfer teithwyr a dramwyai rhwng Caergybi ac Iwerddon. Fel rheol, aelodau o weithlu'r rheilffyrdd oedd y lletywyr hynny. Pan ddôi trên yr *Irish Mail* o Lundain i Gaergybi ar gyfer dal llong i'r Ynys Werdd, byddai nifer o'r gweithwyr yn aros gyda hi dros nos cyn troi yn ôl am Lundain ar y trannoeth.

Gweithiai ambell un o'r dynion hyn fel gyrrwr, un arall fel taniwr a rhai yn gweini ar gerbyd-bwyd y trên. Byddai llawer o hwyl a miri yng nghwmni'r gwesteion hyn, gyda'r Llundeinwyr *Cockney* wrthi'n traethu am ddifyrrwch y fetropolis, am oleuadau llachar y West End a bywyd nos y ddinas. Cafodd Alice ei swyno gan gyfaredd enwau fel Soho, Portobello Road, Maida Vale, Petticoat Lane, Little Venice ac Euston.

Bellach, â'i bywyd hithau wedi troi'n gymhlethdod poenus, tybed nad oedd dinas noddfa iddi yn un o'r mannau pellennig hynny? Yn y fan honno, hwyrach y gallai gael heddwch i'w meddwl a siawns i gychwyn byw o'r newydd unwaith eto.

P'run a oedd Alice yn credu ai peidio fod i'r ddinas bell balmentydd o aur, mentro tuag ati a wnaeth. Cyn bo hir roedd hi a'i mab a'r ddwy eneth fach wedi cael lle i gychwyn cartref yn Randolph Avenue, Maida Vale. Ond pa mor llachar bynnag oedd goleuadau Llundain fawr, daeth y cymylau i hofran o'i chwmpas unwaith yn rhagor. Y tro hwn tywyllwyd ei ffurfafen gan ddadfeiliad ei chorff hi'i hun. Daeth afiechyd blin i nychu'r druanes gyda'r naill strôc yn dilyn y llall. Mae'n rhaid cydnabod i'r cyson ffyddlon Dick a'r genethod ei gwarchod yn dyner ar hyd y daith derfynol honno. A phan ddaeth y diwedd aed â'i chorff i Amlosgfa Golders Green yn Llundain lle dychwelwyd y llwch i'r llwch.

Ac felly y tynnwyd y llen ar act olaf y ddrama. Gallasai hon fod yn ddim ond stori ddychymyg wedi'i saernïo gan ddramodydd o fri a'i pherfformio ar lwyfan y Garrick neu'r Savoy. Y cyffro, fodd bynnag, yw nad drama oedd bywyd Alice ond ffaith. Ffaith a ddigwyddodd yn fy nghyfnod i.

Bûm wrthi'n chwilota mor ddyfal i groniclo anturiaethau

bywyd Alice am imi deimlo fod yr ymchwiladau a wnaed yn brin yn y glorian. Nid wyf yn beio neb yn arbennig. Gwaetha'r modd, roedd pethau'n digwydd o bryd i'w gilydd na fedrai neb eu rhag-weld. Ond wrth nodi hynny heddiw, efallai y dichon i'r gwersi a ddysgwyd droi'n gymorth i eraill wrth ymchwilio mewn achosion tebyg yn y dyfodol.

Er imi lafurio'n galed i gael gafael ar ffeithiau'r hanes, rwy'n fodlon cydnabod y gallant hyd yn oed eto fod yn annigonol. Ond beth bynnag fydd barn neb ar ôl eu darllen, dymunaf gyfleu'n eglur fy mod innau hefyd yn cyhoeddi nad oedd Alicia Millicent Roberts yn euog o lofruddio John Hughes a John Gwilym Roberts. A hynny am fod cyfraith y wlad wedi mynnu felly.

Rwy'n rhydd i feddwl yr hyn a fynnaf. Ond yn y diwedd eithaf, rwy'n dod i'r casgliad hwn bob gafael: petawn i yn esgidiau Alice, buaswn yn dragwyddol ddiolchgar i Mr Cledwyn Hughes, A.S. (yn awr, yr Arglwydd Cledwyn o Benrhos), Mr Dafydd Cwyfan Hughes, ei bartner bryd hynny, Mr Elwyn-Jones a Mr Edmund-Davies (dau arall a ddyrchafwyd yn ddiweddarach i Dŷ'r Arglwyddi), pedwar cawr ym myd y gyfraith y mae gennyf barch helaeth tuag atynt.

Ganrifoedd lawer yn ôl, bu'r salmydd yn myfyrio fel hyn:

> 'Pan dry fy ngelynion yn eu holau,
> baglant a threngi o'th flaen.
> Gwnaethost yn deg â mi yn fy achos,
> ac eistedd ar dy orsedd yn farnwr cyfiawn.'

Yng nghanol y cyfan dryslyd, ni allaf innau beidio ag ategu gosodiad rhywun arall a fynnodd mai 'rhyfeddol yw ffyrdd yr Arglwydd'.